1 동물농장
2 걸리버 여행기
3 좁은 문
4 돈 키호테
5 죄와 벌
6 정글북
7 지킬 박사와 하이드
8 전쟁과 평화
9 지구에서 달까지
10 허클베리 핀의 모험
11 비밀의 화원
12 이상한 나라의 앨리스
13 아큐정전
14 변신
29 파우스트
30 파랑새
31 톰 아저씨의 오두막
32 폭풍의 언덕
33 작은 아씨들
34 알프스 소녀 하이디
35 크리스마스 캐럴
36 보물섬
37 톰 소여의 모험
38 80일간의 세계일주
39 사람은 무엇으로 사는가
40 안네의 일기
41 어린 왕자
42 꼬마 철학자
56 해저 2만 리
57 별
58 적과 흑
59 압록강은 흐른다
60 시턴 동물기
61 도리언 그레이의 초상
62 난중일기
63 쿠오바디스
64 몬테크리스토 백작
65 빨간 머리 앤
66 15소년 표류기
67 구운몽
68 목로주점
69 부활
뒤뚱아! 해양 소설이 뭔지 알아?

15 레미제라블
16 어머니
17 오즈의 마법사
18 허풍선이 남작의 모험
19 도련님
20 제인 에어
21 올리버 트위스트
22 피터 팬
23 위대한 개츠비
24 닐스의 이상한 모험
25 오만과 편견
26 로빈슨 크루소
27 홍당무
28 타임머신
43 장 크리스토프
44 오페라의 유령
45 삼총사
46 테스
47 1984년
48 파브르 곤충기
49 검은 고양이
50 베니스의 상인
51 노트르담의 꼽추
52 삼국유사
53 바람과 함께 사라지다
54 열하일기
55 키다리 아저씨
70 일리아드 오디세이
이번에 읽을 논술 명작 〈모비 딕〉이 바로 해양 소설이야.
번빠리, 너 나를 무시했어. 해양 소설은 바다와 관련된 내용을 담은 소설을 말하는 거잖아.
〈모비 딕〉은 19세기 미국 작가 허먼 멜빌의 대표작이지.
논술 명작 71
모비 딕

아이세움 논술 | 명작 71

모비 딕

감수 방민호

서울대 국문과, 같은 과 대학원을 졸업했습니다. 제1회 창비신인평론상과 제18회 김달진문학상을 수상했으며, 현재 서울대 국문과 교수로 재직 중입니다. 〈비평의 도그마를 넘어〉, 〈문명의 감각〉을 비롯한 많은 책을 쓰고 엮었습니다.

아이세움 논술 | 명작 71

모비딕

원작 허먼 멜빌 | **엮음** 서필원 | **그림** 오승만 | **감수** 방민호

펴낸날 2010년 9월 30일 초판 1쇄, 2013년 10월 25일 초판 5쇄

펴낸이 김영진

본부장 조은희 | **사업실장** 이영호

편집장 박철주 | **편집 · 진행** 위혜정, 고여주, 백한별, 이미호 | **디자인** 강륜아

펴낸곳 (주)미래엔 | **주소** 서울시 서초구 잠원동 41-10

전화 마케팅 02)3475-3843~4 편집 02)3475-3924 | **팩스** 02)541-8249

등록 1950년 11월 1일 제16-67호 | **홈페이지** www.i-seum.com

ISBN 978-89-378-4958-9 74840

ISBN 978-89-378-4116-3 (세트)

· 책값은 뒤표지에 있습니다.

· 파본은 구입처에서 교환해 드리며, 관련 법령에 따라 환불해 드립니다. 다만, 제품 훼손 시 환불이 불가능합니다.

Mirae N 아이세움은 (주)미래엔의 어린이책 브랜드입니다.

아이세움 논술 | 명작 71

모비딕

허먼 멜빌 원작
서필원 엮음 | 오승만 그림

| 머리말 |

명작은 인간과 사회를 이해하는 첫걸음입니다

많은 사람들에게 재미와 감동을 주는 탁월한 작품을 명작이라고 합니다. 그중 시간과 공간을 초월하여 변함없이 사랑받아온 작품을 고전이라고 하지요.

우리는 어릴 때부터 고전과 명작 읽기의 중요성에 대해 배워왔습니다. 고전 명작이 소중한 이유는 그 안에 인간과 사회에 대한 작가의 치열한 상념이 녹아 있기 때문입니다. 탄탄한 서사 구조 속에 재미와 감동은 물론, 시대를 대변하는 보편적인 가치가 반영되어 있기 때문입니다.

따라서 고전 명작을 읽을 때에는 작품 속 주제 의식이나 작가의 세계관을 올바로 이해하려는 노력이 필요합니다. 작가가 작품을 쓰던 당시의 사회적 배경이 어떠하였는지, 또 작품에서 가장 중요하게 다루고 있는 논쟁거리가 무엇인지에 대해 깊이 고민해야 합니다. 주제, 줄거리 등을 단편적으로 암기하는 것이 아니라 작가와 교감을 통해 인간과 사회에 대한 이해를 넓혀 가는 것입니다. 이런 노력이 뒷받침되어야 우리는 비로소 고전 명작을 읽었다라고 이야기할 수 있습니다.

〈아이세움 논술 | 명작〉은 고전 명작이 어른들의 전유물이라는 편견을 버리고, 재미있는 삽화와 쉬운 문장으로 구성하였습니다. 그리고 작품을 읽기 전에 작품을 둘러싼 시대적 배경을 알려 주고 읽은 후에는 작품에 대해서 토론하면서 생각할 수 있도록 구성되어 있습니다. 어린 독자들이 고전에 친숙해질 수 있는 기회를 주는 책이라고 생각합니다.

어린 시절에 읽는 양서 한 권이 어린이의 미래를 바꿉니다. 부디 〈아이세움 논술 | 명작〉으로 세계를 바라보는 안목을 높이고 자기만의 세계를 공고히 다져 나가기 바랍니다.

서울대학교 국어국문학과 교수
방 민 호

| 추천하는 글 |

명작 읽기의 소중함

열심히 책만 읽기에는 너무 고단한 우리 학생들에게 다시 '논술' 열풍이 불고 있다. 학생들이 스스로 즐겨 그렇게 된 것은 아니지만, 학생들을 위해 결코 나쁜 일이라고만 말할 수는 없을 것이다.

새삼스러운 얘기일 터이지만 좋은 글을 쓸 수 있는 가장 빠른 길은 "많이 읽고(다독多讀)·많이 쓰고(다작多作)·많이 생각(다상량多商量)" 하는 삼다(三多)밖에 다른 것이 없다.

먼저 다독이 문제다. 많이 읽는다고 해서 아무 책이나 마구잡이로 읽는 것을 다독이라고 하지는 않는다. 많이 읽되, 좋은 책을 읽을 때 그것이 다독이다. 그렇다면 어떤 책이 좋은 책일까?

우선 고전이라 할 명작에는 사람이 세상을 살면서 알아야 할 온갖 삶의 지혜와 가치가 담겨 있다. 가령 〈지킬 박사와 하이드〉에서는 인간 내면에 혼재해 있는 선과 악의 대립을, 〈동물농장〉

에서는 삶을 한없이 타락시키는 전체주의와 아름다운 삶을 지향하는 인간의 무한한 이상의 끊임없는 갈등과 투쟁에 대한 반추를 해 볼 수 있다. 이런 고전을 재미있게 읽고 생각하는 기회를 갖는 것이 바로 좋은 글을 쓸 수 있는 바탕이다. 문제는 고전이 너무 어렵고 분량이 방대하다는 점이다.

이번에 출간된 〈아이세움 논술 | 명작〉은 원전의 내용을 재구성해 어린 학생들이 쉽게 고전과 친해지도록 만들었다. 지루함을 덜기 위해 캐릭터를 사용해서 그 캐릭터들과 끊임없이 교감하며 끝까지 책을 손에서 놓지 못하게 만든 것도 이 시리즈의 특색이요 장점일 터이다. 책 뒤에 논술을 학습할 수 있도록 논술 워크북과 가이드북을 제공하여 '학습과 논술'이라는 두 문제를 다 해결할 수 있도록 배려한 점도 주목할 만하다. 어린 학생들이 편안하고 소중한 독서 경험을 하리라 본다.

물론 이 명작선은 완역본이 아니므로 이것만 읽어서는 해당 작품을 제대로 읽었다고 말할 수 없을 것이다. 그러나 훗날 학생들이 성장하여 완역본으로 다시 읽고 올바르게 이해하는 데 큰 도움이 되도록 세심한 배려를 했다.

이 점도 이 시리즈가 귀하고 값진 이유이다.

시인

신경림

| 차 례 |

안녕, 난
번빠리야. 끝없이
넓은 바다에서 펼쳐지는
고래와의 한판 승부가
흥미진진하겠는걸.

허푸, 허푸!
뒤뚱이 살려!
고래야, 고래가
나타났어.

PART 1 명작 살펴보기

PART 2 명작 읽기

선원들도 벌벌 떠는 모비 딕이 나타났나 봐!
난 고래 밥이 되기 싫단 말이야!
거대한 향유고래 모비 딕이 나타났다고? 내가 가서 잡고야 말겠어.
박테리아
고로케
튜브
팬티맨

PART 1

PART 1 PART 1
PART 1 PART 1 PART 1
PART 1 PART 1 PART 1 PART 1
PART 1 PART 1 PART 1 PART 1 PART 1
PART 1 PART 1 PART 1 PART 1 PART 1 PART 1
PART 1 PART 1 PART 1 PART 1 PART 1
PART 1 PART 1 PART 1 PART 1
PART 1 PART 1 PART 1
PART 1 PART 1

명작 살펴보기

고래 사냥을
떠나 볼까?

명작 살펴보기

나도야 간다! 고래 잡으러

거대한 흰 고래 모비 딕에게 복수를 하기 위해 드넓은 바다로 항해를 떠나는 에이해브 선장. 뒤뚱이와 번빠리와 팬티맨도 고래를 잡겠다며 고래잡이배에 올랐어요. 과연 고래를 잡을 수 있을까요?

에이해브 선장은 자신의 한쪽 다리를 물어뜯은 고래 모비 딕을 향한 복수심에 불타 전 세계의 바다를 누비고 다녀요. 에이해브 선장의 복수는 이루어질까요? **궁금하다면 지금부터 바다로 떠나 볼까요?**

드넓은 바다에서 펼치는 고래와의 싸움

〈모비 딕〉의 작가 허먼 멜빌은 〈주홍 글씨〉를 지은 너새니얼 호손, 〈허클베리 핀의 모험〉과 〈톰 소여의 모험〉 등을 지은 마크 트웨인과 더불어 19세기 미국 문학을 대표하는 소설가로 손꼽혀요.

〈모비 딕〉은 거친 바다 위에서 펼쳐지는 긴장감 넘치는 모험과 도전이 돋보이는 작품이에요. 피쿼드 호의 선장 에이해브는 거대한 향유고래 모비 딕을 쫓아 대서양을 출발하여 희망봉을 돌아 인도양과 태평양으로 항해를 계속해 나가요.

거센 폭풍우가 몰아치고 천둥과 번개가 사정없이 내리치는 밤바다에서의 험난한 항해에도 에이해브 선장은 조금도 두려움 없이 모비 딕과 한판 승부에 목숨을 걸어요.

에이해브 선장의 복수심에서 비롯된 운명을 건 고래와의 사투를 그린 〈모비 딕〉은 오늘날에도 많은 사람에게 감동을 주지요.

바다에서의 모험과 도전을 다룬 해양 소설

1851년에 발표된 〈모비 딕〉은 바다를 무대로 모험과 도전을 펼치는 사람들을 주제로 한 해양 소설이에요. 〈모비 딕〉에는 에이해브 선장의 목표를 향한 강한 집념과 고래를 잡기 위해 목숨을 내건 뱃사람들의 도전이 생생하게 묘사돼 있어요.

〈모비 딕〉은 버락 오바마 미국 대통령이 즐겨 있는 책 가운데 한 권이래.

마치 신이 에이해브 선장을 위해 고래를 창조한 듯 에이해브 선장은 평생 고래를 쫓으며 전 세계의 바다를 누벼요. 고래를 향한 복수심으로 분노의 화신이 되어 버린 에이해브 선장과 피쿼드 호의 선원들을 통해 인생이라는 거친 바다를 항해하는 인간들의 삶을 엿볼 수 있답니다.

한눈에 살펴보기
난 집념의 사나이 에이해브. 모비 딕은 꼭 내 손으로 잡고야 말겠다.
난 이스마엘. 바다가, 아니 고래가 나를 부른다!

Start 발단

바다와 고래를 동경하던 이스마엘은 고래잡이배를 타기로 마음먹고 뉴베드퍼드로 향한다. 그곳에서 식인 풍습을 가진 부족의 추장 아들 퀴퀘그를 만난다. 이스마엘은 야만인 퀴퀘그의 인간성에 호감을 갖는다.

expansion 전개

이스마엘은 친구가 된 퀴퀘그와 함께 고래잡이배 피쿼드 호의 선원이 되어 운명적인 항해에 나선다. 피쿼드 호의 선장 에이해브는 머리가 흰 향유고래 모비 딕에게 한쪽 다리를 잃은 뒤 복수심에 불타 있다.

climax 절정

에이해브 선장은 모비 딕을 발견한 사람에게 금화를 주겠다며 선원들을 선동한다. 에이해브 선장은 일등 항해사 스타벅의 충고를 무시하고 모비 딕을 쫓아 인도양으로 태평양으로 항해를 계속한다.

ending 결말

마침내 모비 딕을 발견한 에이해브 선장과 선원들은 사흘 밤낮으로 모비 딕과 사투를 벌인다. 그러나 에이해브 선장은 모비 딕과 함께 바닷속으로 가라앉는다. 피쿼드 호도 침몰해 선원들 모두 물에 빠져 죽고 이스마엘 혼자만 간신히 살아남는다.

'모비 딕'은 실제 존재했던 고래

허먼 멜빌이 〈모비 딕〉을 발표한 19세기에는 고래잡이가 번성하던 때였어요. 작가들은 고래잡이와 고래잡이 선원들을 소재로 한 작품을 많이 발표했지요.

그런데 그 당시 고래잡이들을 괴롭혀 온 거대하고도 흉포한 고래가 실제로 있었다고 해요. 고래잡이 선원들이 '모차 딕'이라고 부르던 이 고래는 에섹스 호의 고래잡이 선원들이 새끼를 사로잡자 새끼를 구하기 위해 에섹스 호를 공격해 침몰시켰다고 해요.

허먼 멜빌은 에섹스 호의 일등 항해사 오웬 체이스가 쓴 〈포경선 에섹스 호의 놀랍고 비참한 침몰기〉를 여러 번 탐독했어요. 그러니까 〈모비 딕〉은 〈포경선 에섹스 호의 놀랍고 비참한 침몰기〉에서 영감을 얻어 씌어진 작품이라고 볼 수 있지요.

◀ 뉴베드퍼드 포경업 국립 역사 공원에 전시된 고래잡이 동상이에요.

〈모비 딕〉은 오늘날에도 최고의 해양 소설로 손꼽혀!

신비에 싸인 향유고래

고래잡이가 번성하던 19세기에는 고래 기름으로 불을 밝히거나 난방을 했어요. 향유고래의 머리에 든 기름으로 만든 양초는 인기가 아주 좋았다고 해요. 특히 고래의 몸속에서 채취한 용연향은 향수의 원료로 비싼 값에 거래되었어요.

〈모비 딕〉에 등장하는 거대한 흰 고래 '모비 딕'은 향유고래의 일종이에요. 향유고래는 이빨고래류 중에서 가장 커요. 몸길이가 20미터에 가깝고 몸무게는 60톤이나 달한다고 해요. 향유고래의 몸 빛깔은 회색인데 나이가 들면서 하얗게 되는 경향이 있어요.

향유고래는 고래 중에서 가장 깊이, 가장 오래 잠수할 수 있으며 움직이지 않고 물 위에 떠 있을 수 있는 신비에 싸인 고래로 알려져 있지요.

▲ '박치기 왕'으로도 유명한 향유고래는 머리가 단단하고 지능이 뛰어나요.

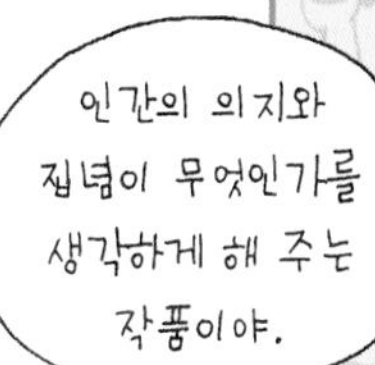

인간의 의지와 집념이 무엇인가를 생각하게 해 주는 작품이야.

잠시 휴식! 셔벗을 먹고 〈모비 딕〉을 읽어 보세요!

PART 2

명작 읽기

신비에 싸인 흰 고래
모비 딕을 만나러 떠나 볼까?

명작 읽기

1장
고래는 나의 꿈

나를 이스마엘이라 불러 달라. 이 이름에는 '쫓겨난 자', '떠도는 자'라는 뜻이 담겨 있다.

내가 지금부터 하려는 이야기는 몇 해 전에 일어난 일이다. 그게 정확히 언제였지는 묻지 말아 주었으면 한다. 그 무렵 나는 돈 한 푼 없는데다 세상살이가 고달파 우울했다. 그래서 바다로 모험을 떠나기로 마음먹었다.

우울한 기분을 털어 버리고 싶거나 활기를 되찾고 싶을 때면 바다로 나가는 게 최고다. 마음이 울적해질 때, 가을비가 촉촉히 대지를 적실 때, 거리로 뛰쳐나가 남의 모자를 벗겨 낚아채고 싶은 충동을 느낄 때면 되도록 빨리 바다로 떠나야 할 때가 되었다는 생각이 든다.

육체와 정신이 건강한 소년 시절에는 거의 모두 바다로 모험을 떠나는 것을 갈망渴望 한다.

나는 바다로 나갈 때면 언제나 선원으로 나간다. 선원이 되면 수고한 대가로 돈을 받을 수 있다. 승객에게 배를 타는 대가로 돈을 준다는 얘기는 들어 보지 못했다.

구약성경 '창세기'에
나오는 '이스마엘'은 이스라엘
민족의 시조 아브라함이 낳은
아들인데 추방을 당해 황야를
떠도는 방랑자가 돼.

승객은 요금을 내야 하지만 선원은 월급을 받을 수 있다는 말이다. 돈을 받는 것은 돈을 내는 것과는 하늘과 땅 차이다.

돈을 낸다는 건 아담과 하와가 사과를 훔쳐 먹고 에덴동산에서 쫓겨난 이후 비롯된 여러 괴로움 중에서도 가장 큰 것이다. 하지만 돈을 받는다는 건 큰 기쁨이 아닐 수 없다.

갈망(渴望) : 간절히 바람.

그러나 돈이란 세상 모든 악의 근원이다. 사람들은 돈 많은 부자는 결코 천국에 갈 수 없다는 것을 진심으로 믿고 있다. 그럼에도 사람들이 돈을 벌기 위해 그토록 애를 쓴다는 건 참 놀라운 일이 아닌가!

내가 바다에 나가는 또 다른 까닭은 건전한 육체 노동과 앞 갑판의 깨끗한 공기 때문이다. 바람은 대개 뱃머리 쪽에서 불어오는 경우가 많다. 그러니까 배 뒤편에 있는 제독提督은 앞 갑판의 선원들이 숨 쉬고 난 공기를 마시는 셈이다.

하지만 그 무엇보다도 내가 배를 타고 바다로 나가려는 가장 중요한 이유는 바로 고래, 고래 때문이었다.

고래!

거대함이 주는 경이로움!

나는 그 놀랍고도 신비한 괴물에게 송두리째 마음을 빼앗겨 버렸다.

제독(提督) : 해군 함대의 사령관.

난 인간들만 보면 가슴이 뛴다네.
거대한 고래만 보면 가슴이 뛰어!

고래는 세계적으로
120종이 알려져 있어.
몸길이 4~5미터 이상인 것을
고래, 그보다 작은 것은
돌고래라고 해.

고래잡이 항해는 언제나 가슴 설레는 일이었다. 섬처럼 거대한 고래가 물기둥을 분수처럼 내뿜으며 헤엄치는 아득하고 거친 바다, 그 장대壯大한 대자연의 경치와 소리들은 늘 나를 잠 못 이루게 했다.

바다로 떠나는 상상을 하면 신비로운 세계로 향하는 커다란 문이 활짝 열렸다. 그리고 내 영혼 깊숙한 곳에는 두 마리씩 짝지어 헤엄치는 고래 떼의 행진이 끝없이 이어졌다. 고래는 언제나 가슴 벅차게 하는 나의 꿈이자 환상幻想이었다.

장대(壯大) : 기상이 씩씩하고 큼.
환상(幻想) : 현실적인 기초나 가능성이 없는 헛된 생각이나 공상.

2장

자, 떠나자! 고래 잡으러

한두 벌의 셔츠를 집어넣은 낡아 빠진 여행 가방을 옆구리에 끼고 나는 태평양을 향해 출발했다. 정든 도시 맨하토를 떠나 고래잡이배가 모여드는 매사추세츠 주 뉴베드퍼드에 도착한 것은 12월의 어느 토요일 밤이었다.

그러나 나의 최종 목적지인 낸터킷 섬으로 운항하는 작은 우편선郵便船은 이미 떠나 버린 뒤였다. 낸터킷 섬으로 가는 배를 타려면 월요일까지 기다려야 한다고 했다. 나는 두 다리에 힘이 쭉 빠졌다.

우편선(郵便船) : 우편물을 실어 나르는 배.

낯선 마을에서
아는 사람도 없고
돈도 없으니
참 곤란하겠는걸.

살을 에는 듯이 춥고 쓸쓸한 밤에 어디서 식사를 하고 잠을 잘 것인지가 큰 문제였다. 이 고장에 아는 사람이라고는 한 사람도 없었다. 주머니 속에는 은화 몇 닢만이 짤랑거릴 뿐이었다.

차가운 겨울바람이 휘몰아치는 거리 한복판에 선 나는 발걸음을 어디로 옮겨야 할지 몰라 한동안 우두커니 서 있었다. 온통 어둠뿐인 주위를 둘러보다 무작정 발걸음을 옮겼다.

두리번거리며 걷는 내 눈에 들어온 것은 '십자 작살'이라는 여관이었다. 화려해 보이는 간판과 출입문만 보아도 비싼 곳이라는 것을 한눈에 알 수 있었다.

조금 더 걸어가자 '황새치 여관'의 간판이 번쩍거리고 있었다. 그 여관 창문에서 흘러나오는 환한 불빛은 거리의 얼어붙은 땅이라도 녹여 버릴 것처럼 밝고 환했다.

얼어붙은 땅을 밟을 때마다 너덜너덜해진 구두 밑창 때

문에 걷기가 힘들었다. 걸음을 멈추고 유리창 안의 환한 불빛을 들여다보았다. 술잔 부딪치는 소리가 너무 떠들썩해서 들어갈 마음이 생기지 않았다. 나는 스스로에게 타일렀다.

"자, 어서 가자, 이스마엘. 남의 집 문 앞에서 머뭇거리지 말고, 떨어진 구두를 핑계 삼지 말고 앞으로 가자."

나는 바다 쪽으로 발길을 옮겼다. 왠지 그쪽으로 가면 싼 여인숙이 있을 것 같았다.

겨울바람이 휘몰아치는 밤거리는 말할 수 없이 쓸쓸했다. 길 양쪽에 늘어선 것은 집이 아니라 마치 검은 바윗덩이 같았다. 그 사이사이로 묘지에서 흔들리는 촛불처럼 희미한 불빛이 보였다.

발걸음을 재촉하던 나는 부두埠頭 가까운 곳에서 어슴푸레 빛나는 등불 아래 걸음을 멈췄다. 구슬프게 삐걱거리는 소리가 규칙적으로 들려왔다. 고개를 들어 보았다. 하

부두(埠頭) : 배를 대어 사람과 짐이 뭍으로 오르내릴 수 있도록 만들어 놓은 곳.

얀 칠을 한 간판이 바닷바람에 흔들리고 있었다.

간판에는 고래가 뿜어 내는 물기둥이 흰색으로 그려져 있었다. 그 아래에는 '물기둥 여인숙 - 피터 코핀'이라고 씌어 있었다. 물기둥? 그것은 고래를 말하는 것일 테다. 그러나 '코핀'은 관이라는 뜻이다.

코핀이라는 성은 낸터킷 섬에서는 아주 흔하다. 이 여인숙 주인도 그 섬에서 건너온 사람일 것이었다. 하지만 그 두 단어의 묘한 결합은 어쩐지 불길하게 여겨졌다.

등불이 희미한 여인숙 안은 조용했다. 나무로 지어진 허름한 건물은 마치 불에 그을린 듯 칙칙했다. 낡은 간판은 가난에 쪼들리는 오두막의 출입문처럼 바람이 불 때마다 삐걱거렸다.

'허름하긴 하지만 숙박비가 쌀 거야. 또 누가 알아? 맛이 썩 좋은 커피를 얻어 마실 수 있을지…….'

유령선 같은 여인숙의 문을 열고 들어서니 젊은 선원 몇이 테이블에 모여 앉아 있었다. 그들은 장식품을 조각할 고래 이빨을 들여다보고 있었다.

"빈방이 있습니까?"

나는 주인인 듯 보이는 남자에게 물었다.

"여보슈, 빈방은커녕 침대조차 남는 것이 없다오."

한숨을 내쉬며 돌아서려는 나를 주인이 불러 세웠다.

"아, 잠깐! 혹시 작살잡이랑 한 침대를 써도 괜찮겠소? 보아 하니 그쪽도 고래잡이배를 타려는 것 같은데……. 그렇다면 작살잡이와 미리 친해 두는 것도 나쁘지는 않을 거요."

낯선 사람과 한 침대에서 자는 게 내킬 리 없었다.

'어떻게 할까? 빈방이 없다는데 할 수 없잖아. 이 추운 밤에 다시 낯선 거리를 헤매고 싶지는 않은걸.'

유령선 같은
여인숙에서 낯선
작살잡이와 한 침대에서
자야 한다고?

나는 잠깐 생각하다 대답했다.

"그 작살잡이가 점잖은 양반이라면야 뭐 괜찮겠죠."

"잘 생각했소. 그럼 일단 좀 앉으시오. 저녁은 먹었소? 저녁을 먹겠다면 금방 준비

그 작살잡이가 작살을 함부로 휘두르지만 않는다면야 괜찮습니다.
작살은 물고기를 잡는 데 쓰는 거라오.

하리다."

잠시 뒤 나는 저녁 식사를 하기 위해 다른 네댓 명의 손님과 함께 옆방으로 갔다. 그 방은 마치 얼음판 위처럼 춥기가 이루 말할 수 없었다. 주인은 불을 땔 만한 여유가 없다며 짐짓 엄살을 떨어 댔다.

그러나 곧이어 내온 요리만큼은 제법 푸짐했다. 고기와 감자는 물론 만두까지 나왔다. 옆자리의 젊은 선원이 걸신들린 듯 만두를 먹기 시작했다.

그 모습을 물끄러미 바라보는 내게 주인이 다가와 말을 건넸다.

"젊은이, 오늘밤 꿈자리가 좀 사나울 거요."

나는 만두를 먹는 젊은 선원을 눈으로 가리키며 주인에게 귓속말로 물어보았다.

"저 사람이 아까 얘기한 작살잡이는 아니겠죠?"

주인은 뭔가 재미있다는 듯 짓궂은 표정으로 대답했다.

"아니오. 그 작살잡이는 피부색이 검은 사람이오. 만두 같은 건 아예 먹지도 않죠. 그는 스테이크 말고는 입에 대지도 않는다니까요. 그것도 살짝만 구워 거의 날고기나 다름없는 것을 먹는다고요."

"그래요? 그 사람은 어디 있죠? 지금 여기 없나요?"

"이제 곧 올 거요."

나는 피부색이 검다는 그 작살잡이가 어쩐지 수상하게 여겨져 한 침대를 써야만 한다는 것이 내키지 않았다. 그렇다고 달리 무슨 수가 있을 리도 없었다.

'아직 만나 보지도 않았는데 미리부터 걱정할 필요는 없는 것 아닐까? 서로 마음만 맞으면 좋은 친구가 될지도 모르는 일이고 말이야.'

나는 이런저런 생각을 하며 저녁을 먹었다. 저녁 식사가 끝난 뒤에도 방에 들어가 먼저 침대에 눕고 싶은 마음이 들지 않았다. 낯선 마을의 여인숙에서 생판 모르는 작살잡이와 한 침대에서 잘 생각을 하니 점점 그와 함께

자기가 싫어졌던 것이다.

'그 작살잡이가 먼저 침대에 들어간 뒤 자러 가야지.'

밤은 차츰 깊어 갔다. 술을 마시며 왁자지껄 떠들던 선원들은 하나 둘씩 자러 갔다. 외출했다 돌아온 몇몇 손님들도 자기 방을 찾아 들어갔다. 그러나 작살잡이는 그때까지도 나타나지 않았다. 시간은 어느새 12시가 가까워졌다.

"주인장, 그는 어떤 사람이죠? 원래 이렇게 늦게 들어오나요?"

"글쎄, 들어올 때가 지났는데……. 갖고 나간 해골바가지를 못 팔았나 보오."

"해골바가지라고요? 지금 농담하세요?"

"농담이 아니오. 그는 남태평양南太平洋의 어느 섬에서 왔다는데, 향기로운 기름에 절인 두개골을 몇 개 가지고

남태평양(南太平洋) : 세계에서 가장 큰 대양인 태평양의 남반부로 적도 이남을 가리킴. 평균 수심은 4000미터.

왔더라고요. 자기 말로는 대단한 물건이라고 하던데요. 하나 남은 걸 마저 팔겠다고 나가서 아직 안 들어오는군요. 어쩌면 오늘 밤에는 돌아오지 않을지도 모르겠소. 기다리지 말고 먼저 자요."

나는 주인의 안내를 받아 작살잡이와 함께 쓸 방에 들어갔다. 주인은 잠자리를 봐 준 뒤 나갔다. 나는 해골바가지를 판다는 작살잡이가 나를 해치지 않기만을 바라며 옷을 벗고 침대에 누웠다.

매트리스 속에 옥수수 속대가 들었는지, 사금파리가 들었는지 불편하기 짝이 없었다. 나는 좀처럼 잠이 오지 않아 한참을 뒤척거렸다.

그러다 까무룩 잠이 들려는 순간이었다. 복도를 걸어오는 묵직한 발자국 소리가 들렸다. 이어 희미한 불빛이 문틈으로 비쳐 들어왔다.

'주여, 부디 저를 지켜 주소서!'

나는 마음을 굳게 다져 먹고 그가 먼저 말을 걸어올 때까지 꼼짝도 하지 않기로 결심했다. 마침내 한 손에 등불을 든 사내가 방으로 들어왔다.

그는 침대 쪽은 보지도 않은 채 등불을 내게서 멀찌감치 떨어진 곳에 놓은 다음, 방구석에 있던 커다란 자루의 끈을 풀기 시작했다.

나는 그가 어떻게 생긴 사람인지 궁금했다. 그러나 그는 등을 돌리고 있어 내가 볼 수 있는 것은 그의 널찍한 등과 어깨뿐이었다.

마침내 그가 내 쪽으로 고개를 돌린 순간, 오, 이럴 수가! 그 무섭고 끔찍한 얼굴이라니! 시커멓고 자줏빛이 도는 누런 얼굴에는 군데군데 검고 네모난 것이 더덕더덕 붙어 있었다. 우려憂慮했던 대로 무시무시한 잠자리 친구였다.

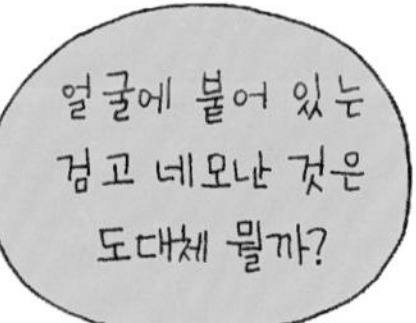

'싸움을 하다 칼에 찔려 치료라도 받고 오는 걸까?'

내가 이런 생각을 하고 있을 때 그가 등불

우려(憂慮) : 근심하거나 걱정함.

을 향해 고개를 돌렸다. 나는 뺨 위의 검은 사각형이 약을 붙인 게 아니라는 걸 알 수 있었다.

'그래, 맞아. 식인종들이 백인 고래잡이를 붙잡아 저런 문신을 강제로 새긴다는 이야기를 들은 적이 있어.'

검고 네모난 건 식인종들이 흔히 새기는 문신이었다.

그는 아직도 내가 침대에 누워 있다는 걸 알아차리지 못했다. 자루의 끈을 다 푼 그는 자루 속을 더듬더니 도끼 모양의 파이프와 바다표범 가죽으로 만든 털 달린 작은 주머니를 꺼냈다.

그러고는 얼핏 보기에도 소름 끼치는 해골바가지를 들고 이리저리 살펴보았다. 그가 비버 가죽으로 만든 모자를 벗는 순간 소스라치게 놀란 나는 소리를 지를 뻔했다.

그의 머리에는 한 오라기의 머리카락도 없었던 것이다. 머리카락이라고는 꼬아 내린 앞머리 몇 가닥이 전부였다. 그가 손에 들고 있는 해골바가지와 똑같아 보였다.

작살잡이는 천천히 옷을 벗기 시작했다. 그의 몸은 온통 문신투성이였다. 가슴과 팔, 심지어 등에까지 검은 문

이렇게 잘생긴
해골이 왜
안 팔릴까?
설마 내가
저 해골 신세가
되는 건 아니겠지?

신이 가득했다.

두 다리에도 한 떼의 짙은 초록빛 개구리들이 어린 종려棕櫚 줄기로 뛰어오르는 것 같은 무늬로 가득했다. 그는 남태평양 어딘가의 섬에 사는 식인종이 분명했다.

두려움에 몸이 떨리긴 했지만 더 이상 망설이고만 있을 수는 없었다. 무슨 말이라도 해야겠다고 생각하는 사이, 그는 도끼 모양의 파이프를 입에 물더니 담배 연기를 빼끔빼끔 내뿜었다.

인류학자에 의하면
지구 상에는 아마존 강 등
세 곳에 아직 식인 풍습이
남아 있대.

잠시 뒤 등불이 꺼지고 이 야만스러운 식인종은 도끼 파이프를 입에 문 채 내가 누워 있는 침대로 뛰어들었다.

"으악! 사람 살려!"

깜짝 놀란 나는 비명을 질렀다. 그러자 그 야만인도 놀라 짐승 같은 소리를 내지르더니 나를 더듬기

종려(棕櫚) : 야자과의 상록 교목으로 고급 악기의 재료로 쓰임.

시작했다. 나는 몸을 뒹굴어 그 손길을 피했다.

"제발 좀 진정해, 진정하라고! 내가 일어나서 불을 켤 수 있게 진정하라고!"

나는 거듭 소리치며 애원했다. 그러나 잔뜩 겁에 질린 내 목에서 나오는 소리는 내가 들어도 무슨 말인지 모를 소리였다. 그러니 작살잡이가 내 말을 못 알아듣는 건 당연했다.

"넌 누구냐? 말을 하지 않으면 죽여 버릴 테다!"

작살잡이는 불이 붙은 도끼 모양의 파이프를 어둠 속에서 휘둘러 대며 소리쳤다.

"빨리 말해! 넌 누구야?"

작살잡이가 파이프를 무섭게 휘둘러 대는 바람에 담뱃불이 사방으로 흩어졌다. 나는 내 속옷에 불이라도 붙으면 어쩌나 불안했다.

"사람 살려! 나 좀 살려 주시오!"

내 비명 소리를 듣고 달려온 주인이 등불을 들고 방으로 들어왔다. 나는 침대에서 뛰어내려 그에게 달려갔다.

그는 벌벌 떠는 나를 진정시키려 큰 소리로 말했다.

"소란 떨 것 없어요. 퀴퀘그는 당신을 해칠 사람이 아니라오."

주인이 누런 이를 드러내며 웃었다.

"웃지 말아요! 저자가 식인종이란 걸 왜 말해 주지 않았어요?"

"나는 당신이 알고 있는 줄 알았죠. 내가 해골바가지를 팔러 나갔다고 말했잖소. 하지만 별일 없을 테니 침대에 들어가 자도록 해요."

"이봐, 퀴퀘그. 오늘 이 손님과 같이 자야 해. 그런 줄 알아."

주인이 이렇게 말하자 퀴퀘그라는 사나이가 고개를 끄덕였다.

주인이 나간 뒤 퀴퀘그는 담배 연기를 뿜어 대며 침대에 걸터앉았다.

"이제 그만 자."

작살잡이는 담배 파이프를 든 손으로 침대를 가리켰다.

그의 행동은 정중할 뿐만 아니라 상냥하기까지 했다.

'사람을 외모만 보고 판단하다니…….'

나는 좀 부끄러운 생각이 들었다.

"그 도끼 파이프 좀 치우면 안 될까? 침대에서 담배를 피우는 건 여러모로 좋지 않단 말이야."

그는 고개를 끄덕이더니 곧 도끼 파이프를 치웠다. 그러고는 이불 한쪽을 젖히며 들어가 자라고 예의禮義 바른 몸짓으로 권했다. 나는 잠깐 서서 그를 유심히 보았다. 가까이서 보니 끔찍했던 첫인상과는 달리 서글서글한 외모를 가지고 있었다.

겉모습만 보고
판단하지 말고
그 사람의 참모습을
보려고 노력해 봐!

나는 곧바로 침대에 들어가 잠을 청했다. 내 평생 그날 밤처럼 잘 잔 밤은 두 번 다시 없었다.

다음날 아침, 동이 틀 무렵 눈을 떠 보니 퀴퀘그의 한쪽

예의(禮義) : 사람이 지켜야 할 예절과 의리.

팔이 더없이 다정多情하게 내 몸에 위에 얹혀 있었다. 마치 내가 그의 신부라도 된 것 같았다. 나는 그 팔을 치우고 새신랑의 포옹에서 빠져나오려고 애를 써 보았다. 잠든 그는 더욱더 세게 나를 껴안았다.

크크, 온몸이
문신투성이인
퀴퀘그가
새신랑이라고?

"이봐, 퀴퀘그. 일어나 주게. 그만 일어나라고."

벌떡 일어난 퀴퀘그는 두 눈을 비비면서 나를 물끄러미 바라보았다. 내가 왜 자기 옆에 누워 있는지 도무지 알 수 없다는 표정이었다. 그러다 지난밤의 일이 떠올랐는지 고개를 끄덕이고는 마루로 내려가 몸단장을 시작했다.

먼저 비버 가죽 모자를 쓴 뒤 긴 장화를 신은 다음 벽에 걸려 있는 거울 앞으로 가 작살 촉으로 면도를 시작했다. 그런 뒤 선원들이 입는 커다란 재킷을 걸치고는 작살을

다정(多情) : 정이 많음.

지휘관의 지휘봉처럼 휘두르며 의기양양하게 방을 걸어 나갔다.

나도 벌떡 일어나 옷을 입고 거실로 내려갔다. 거실에는 항해사들과 작살잡이들이 모여 앉아 이야기를 나누고 있었다. 퀴퀘그는 한구석에 얌전히 앉아 있었다.

"자, 시장할 텐데 어서 식사들 하시오."

주인은 큰 소리로 외치며 문을 활짝 열었다. 우리들은 식당으로 몰려가 아침밥을 먹기 시작했다. 주인 말대로 퀴퀘그는 커피와 갓 구운 빵에는 손도 대지 않고 설익힌 스테이크만 먹어 댔다.

3장
불길한 예언

아침 식사를 마친 뒤 교회에 가기 위해 여인숙을 나섰다. 뉴베드퍼드에는 고래잡이들을 위한 교회가 있었다. 가족과 오랫동안 떨어져 지내며 먼 바다에서 고래와 생사를 건 싸움을 해야 하는 선원들은 착잡한 마음을 달래기 위해 그 교회를 찾았다. 착잡하기는 나도 마찬가지였다.

진눈깨비가 흩뿌리는 거리에는 안개까지 자욱했다. 교회에 들어서자 선원 몇 사람과 선원의 아내들이 드문드문 앉아 있었다. 나는 모자와 재킷의 진눈깨비를 털고 입구 가까운 자리에 앉았다. 주위를 휘 한 번 둘러보다 퀴퀘그가 앉아 있는 것을 보고 깜짝 놀랐다.

'식인종 기독교도라니……'

엄숙한 교회 분위기에 감동했는지 퀴퀘그의 얼굴은 상기돼 있었다.

교회에서 여인숙으로 돌아와 보니 퀴퀘그가 혼자 있었다. 그는 벽난로 앞 나무 의자에 걸터앉아 책을 펴 들고 정성이 담긴 세심한 손길로 책장을 넘겼다.

식인종이 교회에서
예배를 드린다고?
도무지 어울리지
않잖아!

가끔 감탄인지 한숨인지 모를 이상한 소리를 내는 그를 가만히 살펴보았다. 문신을 새긴 얼굴은 흉측해 보였지만 나쁜 사람이 아니라는 걸 한눈에 알 수 있었다.

비록 식인종들이 새기는 문신이 온몸을 휘감고는 있지만 성품이 착하고 순수한 듯 보였다. 머리를 빡빡 깎아 시원하게 드러난 이마 아래에서 빛나는 검은 두 눈에는 씩씩한 기상氣像이 서려 있었다.

기상(氣像) : 사람이 타고난 기개나 마음씨.

창밖에는 진눈깨비가 성난 기세로 몰아치고 있었다. 창밖의 진눈깨비를 내다보는 체하며 그를 세심하게 관찰하는 동안 그는 나의 존재는 신경 쓰지도 않았다.

나는 이상한 감정이 가슴 밑바닥에서 솟구치는 것을 느꼈다. 마치 내 몸속의 실핏줄에까지 훈훈한 기운이 퍼지는 듯한 기분이었다. 담담한 그의 모습에서는 문명의 위선僞善이라든가 인간의 허위虛威 의식 같은 것은 그림자도 보이지 않았다. 겉모습은 사람들이 몸서리칠 정도로 야만스러웠지만 나의 마음은 신비로운 힘에 이끌리듯 그에게 끌렸다. 하룻밤 사이에 나의 마음을 돌려놓다니 참으로 신기한 일이었다.

"어젯밤 자네가 베풀어 준 친절에 감사하네."

내가 다가가 말을 건네자 그는 나를 쳐다보더니 말했다.

"오늘 밤에도 나와 한 침대에서 잘 거지?"

위선(僞善) : 겉으로만 착한 체함.

허위(虛威) : 실속이 없이 겉으로만 꾸민 위세.

오늘밤에는
살려 달라며 난리
치지 않을 거지?
하하하!
그런 일 없을 거야.

"그럼, 물론이지."

어느새 우리 두 사람은 사이좋은 친구가 되었다.

저녁 식사가 끝난 뒤 우리는 함께 방으로 갔다. 퀴퀘그는 자루를 뒤적이더니 30달러쯤 되어 보이는 은화를 세보지도 않고 두 몫으로 갈라 한쪽을 내 쪽으로 밀어 놓았다. 내가 싫다며 손을 내젓자 그는 은화를 내 바지 주머니에 쑥 밀어 넣었다. 나는 그의 호의를 받아들이기로 했다.

잠시 뒤 퀴퀘그와 나는 사랑이 가득한 부부처럼 침대에 나란히 누웠다. 밖은 몹시 추운데다 방에 불기운도 없어 우리는 꼭 붙어서 잠을 청했다. 잠이 쉬이 올 것 같지 않은지 퀴퀘그가 떠나온 고향 이야기를 꺼냈다. 호기심으로 잠이 싹 달아난 나는 계속 이야기해 달라고 졸랐다.

"나는 코코보코라는 섬에서 추장의 아들로 태어났어."

코코보코라는 섬은 지도에도 나타나 있지 않은 섬이다.

"어느 날 섬 근처에 고래잡이배가 들어왔더라고. 나는 그 배를 타고 기독교 국가에 가고 싶었지."

간신히 아버지의 허락을 받아 낸 그는 혼자 통나무배를

타고 그 배에 다가갔단다.

"번개처럼 날아 큰 배의 뱃전에 매달린 쇠사슬을 잡고 기어올랐지. 그러고는 갑판에 몸을 던진 뒤 그대로 누워 버렸어. 갑판의 고리를 꼭 붙잡은 채 내 몸이 갈가리 찢어진다 해도 절대 이 배에서 내리지 않겠다고 버텼지. 선장은 바다에 던져 버리겠다며 위협을 하기도 하고 단검을 내 손목 위에 대고 마구 휘둘러 대기도 했어."

추장의 아들인
퀴퀘그는 왜 기독교
국가에 가고
싶었을까?

퀴퀘그는 기세를 꺾지 않고 죽어도 돌아가지 않겠다며 버텼단다. 대추장의 아들답게 용감하게 말이다.

"결국 선장은 나의 용기와 기독교 국가에 가고 싶어 하는 열망熱望에 감동받았다며 배에 태워 주었어. 배에 탄 나는 선원들 틈에서 지내다 고래잡이가 되었지."

퀴퀘그가 그토록 그 고래잡이배를 타고 싶었던 까닭은

열망(熱望) : 열렬하게 바람.

기독교 국가의 앞선 문명을 배워 자기 부족 사람들을 깨우쳐 주고 싶어서라고 했다. 그러나 고래잡이 일을 하며 겪은 일을 통해 그는 기독교 신자들이 더 사악할 수 있다는 것을 깨달아 크게 실망을 했다고 한다.

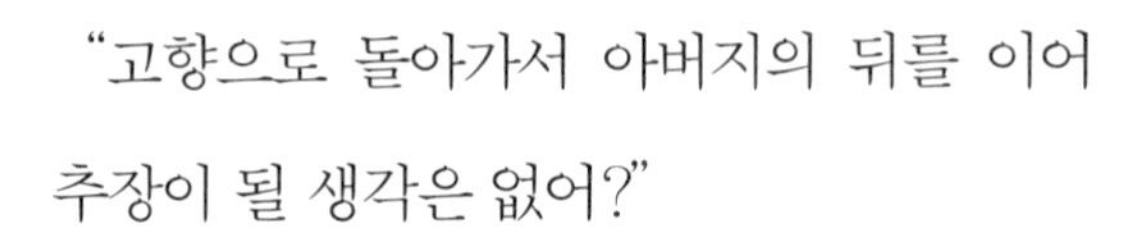

"세상은 어디를 가나 똑같이 악한 구석이 있더군."

"고향으로 돌아가서 아버지의 뒤를 이어 추장이 될 생각은 없어?"

그의 이야기에 귀 기울이던 내가 넌지시 물었다.

"아직은 아니야. 그리고 이제 순수한 마음을 잃어버려서 고향으로 돌아가도 훌륭한 추장이 될 수 없을 거야. 지금은 고래잡이배를 타고 드넓은 바다를 다니며 모험을 더 해 보고 싶어."

"고래잡이배? 나도 고래잡이배를 타려고 하는데……."

"그래? 그거 잘됐네."

그는 내 말을 듣고 뛸 듯이 기뻐했다.

"이제 우리는 운명을 함께하는 형제가 됐어."

퀴퀘그는 이렇게 말하며 내 손을 꼭 쥐었다.

나는 퀴퀘그도 마음에 들었지만 고래잡이배는 처음이었기 때문에 경험이 많은 친구가 큰 도움이 될 거라고 생각했다.

다음날 아침 퀴퀘그와 나는 향유를 뿌린 두개골을 가발 받침대로 이발소에 팔아 그 돈으로 숙박비를 계산했다. 내 숙박비도 퀴퀘그가 내주었다. 여관 주인은 나와 퀴퀘그가 그렇게 빨리 친구가 된 것을 보고는 의아해했다.

우리는 바퀴가 하나 달린 손수레를 빌려 초라한 내 여행 가방과 퀴퀘그의 헝겊으로 만든 자루와 해먹 따위를 싣고 낸터킷 섬으로 가는 배를 타기 위해 부두로 향했다.

부두를 나란히 걷는 우리를 사람들은 힐끔거리며 신기한 듯 쳐다보았다. 그러나 우리는 다른 사람의 시선 따위에는 전혀 신경 쓰지 않고 수레를 밀고 갔다.

퀴퀘그는 가끔 걸음을 멈추고 작살의 갈고랑이집을 바

로잡았다.

“고래잡이배에는 작살이 없어? 귀찮게 그런 걸 뭐하러 들고 다니는 거야?”

“나는 이 작살에 정이 많이 들었어. 내 목숨을 구해 준 적도 있었고, 고래의 심장 깊숙이 박혔던 적도 한두 번이 아니거든. 내가 믿을 건 이것밖에 없다는 생각이 들어.”

농사꾼이 자신의 낫으로만 풀을 베듯 퀴퀘그도 자신의 작살을 특별하게 여기는 듯했다.

드디어 우리는 뱃삯을 치르고 낸터킷 섬으로 가는 배에 올랐다. 금방이라도 돛이 찢어질 듯 바람이 세차게 불었다. 작은 배는 쏜살같이 물 위를 달렸다.

바다 한가운데로 나가자 바닷바람이 상쾌爽快했다. 배의 앞부분에서는 세찬 물거품이 일었다. 퀴퀘그와 나는 물거품이 이는 바다를 내려다보며 상쾌한 바다 공기를 가슴 깊이 들이마셨다.

상쾌(爽快) : 느낌이 시원하고 산뜻함.

육지에서 멀어질수록 파도가 거세 배는 낙엽처럼 흔들렸다. 휘몰아치는 바닷바람에 밧줄이 윙윙거리며 울어 댔다. 세찬 바람이 불 때마다 높이 솟은 두 개의 돛대는 금방이라도 꺾어질 듯 휘어졌다.

이물은 배의
앞부분을, 고물은
배의 뒷부분을 말해.

"사람이 빠졌다! 저기 사람이 빠졌다!"

갑판에 있던 사람들이 우르르 고물 쪽 뱃전으로 몰려가며 소리쳤다. 퀴퀘그와 나도 달려갔다. 사람들이 가리키는 곳을 보니 한 젊은이가 물에 빠져 허우적거리고 있었다. 뱃전을 때린 세찬 파도에 배가 기울자 물속으로 떨어졌다고 했다. 우리가 배에 올라탈 때부터 퀴퀘그를 벌레 보듯 쳐다보던 젊은이였다.

사람들은 비명만 질러 댈 뿐 추운 날씨와 거센 파도 때문에 누구 하나 나서지 못하고 발만 동동 구르고 있었다.

그러자 나의 야만인 친구 퀴퀘그가 웃통을 벗어부치더니 멋지게 포물선을 그리며 바다로 뛰어들었다. 그러나 물에 빠진 젊은이는 보이지 않았다. 물속으로 가라앉은 것이었다. 퀴퀘그는 주위를 한 번 둘러보더니 물속으로 잠수하여 모습을 감추었다.

잠시 뒤 떠오른 퀴퀘그의 한쪽 팔에는 다 죽어 가는 젊은이가 안겨 있었다. 배에서 보트를 내려 두 사람을 끌어올렸다. 선원들은 입을 모아 퀴퀘그를 칭찬했다.

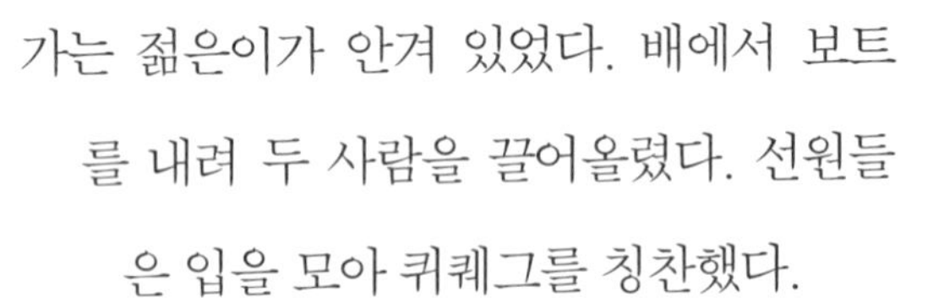

그러나 퀴퀘그는 무표정한 얼굴로 옷을 주워 입고는 뱃전에 기대앉아 도끼 파이프에 불을 붙여 담배를 피웠다. 담담한 표정으로 그는 이렇게 중얼거렸다.

자기를 무시하고
깔보는 사람을 구하기 위해
목숨을 걸고 바다로 뛰어드는
퀴퀘그를 야만인이라
할 수 있을까?

"세상은 서로 돕고 사는 거야. 나 같은 야만인도 기독교도들을 도울 수 있어."

나는 그 일 이후로 마치 배 밑바닥에 달라붙은 조개처럼 퀴퀘그 옆에서 떨어지지 않았다.

그랬다. 나의 사랑하는 친구 퀴퀘그가 마지막으로 물속에 들어가 다시는 떠오르지 못하게 된 그 순간까지.

기분 좋은 항해 끝에 우리는 낸터킷 섬에 도착했다. 이미 밤이 깊어 우리는 잠자리를 찾아야 했다. 물기둥 여인숙 주인이 소개한 여관에 들어간 우리는 솜씨 좋은 여주인이 만들어 준 음식을 눈 깜짝할 사이에 먹어 치웠다. 식사를 마치고 방으로 들어간 우리는 내일 할 일을 의논했다. 그런데 퀴퀘그가 뜻밖의 말을 했다.

"우리가 탈 고래잡이배는 자네 혼자 알아보는 게 좋겠어. 내가 믿는 신이 자네에게 맡겨 두면 우리가 탈 배를 우연히 만나게 된다는 계시啓示를 하더군. 앞날은 신의 뜻에 따라 이미 결정돼 있을 테지."

"그건 안 돼! 난 경험이 전혀 없다고."

나는 당연히 경험이 많은 퀴퀘그가 우리가 탈 배를 알아볼 것이라고 생각했기 때문에 조금 실망스러웠다.

"우리가 탈 배는 이미 결정돼 있다니까."

퀴퀘그는 더 이상 아무 말도 하지 않았다.

다음날 나는 아침 일찍 혼자서 부둣가로 갔다. 여러 사

계시(啓示) : 사람의 지혜로는 알 수 없는 진리를 신이 가르쳐 알게 함.

람을 붙들고 물어본 끝에 데블 담 호, 티트비트 호, 피쿼드 호가 3년 간의 항해를 떠나려 한다는 사실을 알아냈다. 나는 먼저 데블 담 호를 살핀 뒤 티트비트 호로 달려가 살펴보았다.

마지막으로 피쿼드 호의 갑판에 올라 이곳저곳을 둘러본 나는 이 배야말로 우리가 탈 배라는 생각이 들었다.

'피쿼드'는 지금은 멸종해 버린 미국 매사추세츠 주 인디언의 유명한 종족 이름이래.

피쿼드 호는 제대로 바다에 떠다닐지 의심스러울 정도로 낡았다. 오랜 세월 거센 비바람과 파도에 시달린 배의 빛깔은 거무스름했다. 박물관 전시용으로나 알맞을 물건이었다. 그러나 품위가 있으면서도 어딘가 모르게 음울陰鬱한 분위기가 풍겼다.

'품위가 있는 것에는 언제나 약간의 음울한 기운이 감돌게 마련이지.'

음울(陰鬱) : 기분이나 분위기 따위가 음침하고 우울함.

나는 피쿼드 호의 고색창연古色蒼然한 겉모습과 기묘하게 뿜어져 나오는 야릇한 분위기가 썩 마음에 들었다.

나는 갑판을 어슬렁거렸다. 피쿼드 호의 선장을 빨리 만나고 싶어서였다. 갑판을 둘러보던 내 눈에 나이 지긋한 선원이 띄었다. 그는 돛대 아래 기대앉아 있었다.

"혹시 이 배의 선장님 되십니까?"

"나는 이 배의 주인이오. 그런데 무슨 일로……."

"이 배의 선원이 되고 싶습니다."

"뭐라고? 자네는 이곳 사람이 아닌가 보군. 이렇게 낡은 배에 타 본 적 있나?"

배 주인이라는 사람은 계속 퉁명스럽게 말했다.

"고래잡이에 대해 아무것도 모를 것 같은데, 안 그런가?"

"네, 아무것도 모릅니다만 금방 익힐 수 있을 겁니다. 상선商船은 여러 번 타 보았으니까……."

고색창연(古色蒼然) : 오래되어 예스러운 풍치나 모습이 그윽함.

상선(商船) : 삯을 받고 사람이나 짐을 나르는 데에 쓰는 배.

내 말이 채 끝나기도 전에 배 주인은 버럭 소리를 질렀다.

"상선이라고? 그런 이야기라면 집어치워. 자네, 도대체 왜 고래잡이배를 타고 싶은 겐가?"

"고래잡이가 어떤 일인지 알고 싶어서요. 그리고 세계를 알고 싶어서입니다."

"뭐라고? 고래잡이에 대해 알고 싶다고? 그럼 자네는 에이해브 선장을 본 적이 있나?"

"아뇨. 에이해브 선장이라뇨?"

"그가 바로 이 배의 선장이지. 자네, 고래잡이에 대해 알고 싶다고 했지? 에이해브 선장을 보면 고래잡이란 게 어떤 건지 확실히 알 수 있지. 그는 고래에게 한쪽 다리를 빼앗겼다네."

"네? 고래에게요?"

"괴물 같은 향유고래가 에이해브 선장의 다리를 무시무시한 이빨로 꽉 물어뜯어 버렸단 말일세. 그래도 고래잡이에 대해 알고 싶은가?"

내가 잔뜩 겁먹은 표정을 지으며 벌어진 입을 다물지

고래에게
한쪽 다리를 빼앗긴
에이해브 선장을
본 적 있나?
고래에게
다리를 빼앗겼다고요?

못하자 그가 말했다.

"이보게, 자네는 아무래도 고래잡이배를 탈 자격이 없는 것 같아. 그만두는 게 좋을 거야. 생전 처음 보는 어마어마하게 큰 고래의 목덜미에 작살을 꽂기란 쉬운 일이 아니지."

그러나 물러설 내가 아니었다.

"저도 고래를 꼭 한 번 잡아 보고 싶습니다. 이 배에 타게 해 주세요."

"그럼, 자네는 산 고래의 목덜미에 작살을 찌르고 그놈에게 올라탈 수 있겠나?"

"그게 고래잡이가 해야 할 일이라면 할 수 있습니다."

내 결심이 굳은 것을 본 배 주인이 허락을 했다.

"그리고 작살잡이 친구가 있는데, 그도 이 배를 타고 싶어 합니다. 내일 데리고 와도 괜찮겠습니까?"

"고래를 많이 잡아 본 사람인가?"

"수도 없이 많이 잡아 봤지요."

"좋아, 그렇다면 데리고 오게."

급료도 정하고 서류에 서명까지 마친 나는 한결 기분이 가벼워졌다. 그러다 문득 에이해브 선장을 만나지 않았다는 생각이 들었다.

"어디로 가면 에이해브 선장을 만날 수 있나요?"

"지금은 만나기 힘들 걸세. 무엇 때문인지는 모르겠지만 그는 집 안에 틀어박혀 아무도 만나지 않는다네. 괴짜이긴 하지만 신을 두려워하지 않는 훌륭하고도 숭고崇高한 사람이야. 대학교에도 다닌 적이 있다고 하지, 아마. 그는 바다의 신비보다 더 심오深奧한 것을 알고 있다네. 고래보다 더 강하고 무서운 적을 향해서도 불같은 창을 휘둘러 왔지. 지난번 항해에서 저 죽일 놈의 고래에게 다리를 잃은 뒤 화를 잘 내고 난폭해졌지만 그는 대단한 사람임에 틀림없어. 이 섬에서 그만큼 작살을 정확하게 꽂을 수 있는 사람은 없거든."

숭고(崇高) : 뜻이 높고 고상함.

심오(深奧) : 사상이나 이론 따위가 깊이가 있고 오묘함.

나는 피쿼드 호에서 내려 퀴퀘그에게로 돌아가면서 고래에게 한쪽 다리를 물어 뜯겼다는 에이해브 선장에 대해 생각했다. 동정과 연민이 느껴지는 동시에 이상한 두려움 같은 게 느껴졌다. 설명하기 어려운 감정이었다. 비밀에 싸인 듯한 에이해브 선장의 정체가 궁금해 조바심이 나기도 했다.

다음날 날이 밝자 퀴퀘그와 함께 피쿼드 호로 갔다.

"같이 배를 타겠다는 친구가 이 식인종인가? 내 배에 식인종을 태울 수는 없어!"

퀴퀘그를 본 배 주인은 버럭 화를 냈다.

"이 친구는 식인종이 아닙니다. 교회도 나가는걸요."

"나를 속일 생각 말게. 자네 친구가 교회를 다닌다고?"

배 주인은 믿을 수 없다는 듯 돌아서려다 퀴퀘그가 들고 있는 작살을 보고는 눈이 휘둥그레졌다.

배 주인이라는
사람도 겉모습만 보고
사람을 판단하는군.

"호! 굉장한 작살이군그래. 상당히 좋아 보이는걸. 게다가 자네 솜씨도 나쁘지 않겠어."

피쿼드 호의 주인은 퀴퀘그의 작살에서 눈을 떼지 못한 채 감탄사를 연발했다. 배 주인의 호들갑에도 아랑곳없이 퀴퀘그는 위풍당당威風堂堂하게 서 있었다. 꼬아 내린 앞머리까지 밀어 버린 앞이마에 햇빛이 반사돼 반짝였다.

"이봐! 자네, 고래잡이 보트 뱃머리에 서 본 적은 있나? 솟구쳐 오르는 고래 몸통에 작살을 꽂아 본 적이 있냐 말일세."

퀴퀘그는 그 말이 떨어지기가 무섭게 번개 같은 동작으로 뱃전에 올라 외쳤다.

"저기 물 위의 작은 방울 보이시죠? 저게 고래의 한쪽 눈이죠. 자, 이제 잘 보시라고요!"

퀴퀘그가 힘껏 던진 작살은 바다 위를 가르고 지나가 반짝이는 물방울을 정확히 맞혔다.

위풍당당(威風堂堂) : 풍채나 기세가 위엄 있고 떳떳함.

고래 눈에
명중이오! 제 실력
이제 보셨죠?
실력이
대단하구먼!

"저 고래는 죽었어요."

퀴퀘그는 작살의 밧줄을 잡아당기면서 말했다.

"당장 계약을 합시다."

흥분한 배 주인이 소리쳤다.

퀴퀘그와 나는 선실로 갔다. 배 주인은 계약에 필요한 서류를 내밀며 퀴퀘그에게 물었다.

"자네, 글은 쓸 줄 아는가? 이름을 쓸 텐가? 표시를 할 텐가?"

퀴퀘그는 조금도 당황하지 않고 건네주는 펜을 쥐더니 서류 적당한 곳에 뭔가를 그려 넣었다. 자기 팔에 새겨진 기괴한 문신과 꼭 같은 모양이었다.

퀴퀘그와 내가 피쿼드 호에서 내려 여인숙으로 돌아오는 길에 이상한 사나이가 우리의 앞을 가로막아 섰다.

"자네들, 저 배를 타려는 겐가?"

그는 마디 굵은 손가락으로 피쿼드 호를 가리키며 물었다. 색이 바랜 재킷에 누덕누덕 기운 바지를 입은 초라한 차림이었다. 목에 두른 누더기 같은 검은 손수건이 바다에서 불어오는 바람에 나부꼈다.

"저 배로 결정했나 보군. 그런데 자네들 천둥 영감은 만나 보았나?"

"천둥 영감이라니요?"

"에이해브 선장 말일세."

"피쿼드 호의 선장을 말하는 거로군요."

"그렇다네. 나처럼 오래된 뱃사람들은 그를 그렇게 부르지. 그 사람에 대해 알고 있나? 그 사람은 다리가 하나밖에 없다네. 고래가 다리 하나를 가져가 버렸거든."

"그런 이야기라면 이미 들어 알고 있습니다."

"호! 그런가? 일어날 일은 반드시 일어난다. 그게 운명이지. 자네들이 운이 좋다면야 별일 없을지도 모르지만 말일세. 아무튼 앞날은 이미 정해져 있다네. 자네들이 천둥 영감을 따라가지 않는다고 해도 누군가가 그를 따르겠지. 잘 가게, 친구. 하느님의 은총이 함께하길……."

"이봐요! 잠깐만요!"

나는 이상한 생각이 들어 돌아서려는 그에게 물었다.

"이미 정해진 운명이라면 거역할 수 없는 거 아닌가요?"

그는 알 수 없는 웃음을 입꼬리에 매달고는 대답했다.

"내 충고를 받아들이지 않겠다는 말이군. 할 수 없지. 하지만 기억하게. 저 배엔 죽음의 그림자가 깃들어 있어. 저 배를 탄 사람들은 모조리 죽는다고. 단 한 사람만 빼놓고……. 부디 무사하라는 말밖에는 할 말이 없네. 잘 가게. 이제 우리가 살아서 만날 일은 없을지도 모른다네."

"이봐요, 왜 그렇게 겁을 주는 겁니까? 대체 당신 이름은 뭐죠?"

"일라이저!"

나는 깜짝 놀랐다. 그 이름은 옛 이스라엘 왕국의 유명한 예언자 이름이었다.

구약 성경에 나오는
예언자 일라이저는
이스라엘 왕 에이해브에게
박해를 받았어.

4장

전설적인 고래, 모비 딕

피쿼드 호는 고래잡이를 나서기에 앞서 이러저러한 준비를 하느라 분주했다. 낡았지만 아직 쓸 만한 돛은 수선하고 폭풍에 돛이 찢어졌을 경우에 대비해 새 돛천도 운반됐다. 육지에서 멀리 떨어진 바다 한가운데서 버텨 낼 3년간의 식료품과 살림살이도 실렸다. 출항 준비는 순조롭게 진행되고 있었다.

퀴퀘그와 나는 출항을 앞둔 피쿼드 호를 종종 찾아갔다. 그때마다 에이해브 선장은 언제쯤 배에 타는지 물었다. 그러면 사람들은 오늘이나 내일이라도 배를 타겠지만 출항 준비는 배 주인이 모두 알아서 할 것이라고 했다.

나는 그때 깨달아야 했다. 피쿼드 호의 절대적인 독재자 獨裁者가 될 사람을 한 번도 보지 못한 채 긴 항해에 운명을 거는 것은 위험한 일이라는 것을 말이다.

피쿼드 호가 바다를 향해 미끄러지듯 출발한 것은 크리스마스날 아침이었다. 에이해브 선장의 모습은 보이지 않았다. 배 주인 필레그만이 닻을 올려라, 천막을 치우라고 선원들에게 고래고래 고함을 지르며 명령했다. 그는 내 다리를 걷어차며 소리쳤다.

"왜 가만히 서 있는 거야? 상선에서는 닻을 그렇게 올렸나? 등뼈가 으스러지도록 힘을 쓰란 말이다, 힘을!"

배가 바다 한가운데를 향해 쏜살같이 나아가자 매서운 바닷바람에 밧줄이 윙윙거렸다. 낡은 뱃전에 부딪힌 파도가 부서지며 흰 물보라를 일으켰다. 뱃길을 안내하기 위해 배에 올랐던 배 주인 필레그는 작은 보트를 타고 뭍으로 돌아갔다.

독재자(獨裁者) : 모든 일을 독단적으로 판단하여 처리하는 사람.

피쿼드 호의 일등 항해사는 스타벅이었다. 두 번 구운 비스킷처럼 갈색으로 그을린 피부는 맑고 탄탄해 보였다.

일등 항해사는
부하를 지휘하고 배 안에서의
질서 유지, 안전 관리, 배의
정비 따위의 일을 수행하는
선원을 말해.

낸터킷 섬 출신인 스타벅은 큰 키에 성실하고 진지한 사람으로 어떤 어려움이라도 견뎌 낼 수 있을 것처럼 보였다. 강인한 정신의 소유자이면서도 다정다감한 성격을 지닌 양심적인 사람이기도 했다.

"고래를 두려워하지 않는 자는 내 보트에 절대 태우지 않는다. 고래잡이에게 용기는 쇠고기나 빵과 같은 소중한 것이다. 함부로 낭비하다가는 정작 필요할 때 못 쓰게 된다. 그래서 나는 해가 진 뒤에는 고래를 쫓지도, 보트를 내리지도 않아. 그리고 격렬하게 저항하는 놈은 오래 쫓지 않는 게 좋지. 고래를 잡으려다가 죽는 것만큼 어리석은 일은 없으니까."

스타벅은 늘 입버릇처럼 말했다.

이등 항해사는 스터브였다. 그는 낙천적인 성격으로 아무리 위험한 일이 닥쳐도 조금도 흔들리지 않고 차분히 헤쳐 나가는 사람이었다. 생사를 건 고래와의 싸움에서 무시무시한 격투는 잔치처럼, 선원들은 모두 초대 손님에 지나지 않는 것처럼 굴었다.

이등 항해사는
배의 운항에 필요한 각종
계기의 관리와 점검 및
해도 등을 관리하는
일을 맡은 선원이야.

스터브는 분노로 미친 듯 날뛰는 바다의 괴물 고래가 뱃전을 스쳐 지나가도 언제나 어렴풋이 기억하는 콧노래를 흥얼거렸다.

세상 사람들은 삶의 무게에 짓눌리면 괴로운 표정으로 헐떡거리지만 스터브는 삶의 무게가 어깨를 내리눌러도 태평스럽고 명랑했다. 그 까닭은 파이프 담배 때문인 듯 보였다. 짧고 검고 조그마한 파이프는 코처럼 그의 일부가 되어 있었다.

그의 침실 선반에는 언제나 집을 수 있도록 담배가 담긴 파이프가 줄지어 놓여 있었다. 스터브는 아침에 일어나면 옷도 입기 전에 우선 파이프부터 입에 물었다.

삼등 항해사는 플래스크였다. 매사에 공격적인 그는 키는 작았지만 다부진 체격을 가진 젊은이였다. 고래를 만나기만 하면 마치 외나무다리에서 원수를 만난 양 끝까지 쫓아가 결판을 냈다. 그는 고래들과의 싸움에 따르는 위험에 대해서도 아주 무감각했다. 목숨을 건 고래와의 승부를 마치 즐거운 놀이처럼 생각했다.

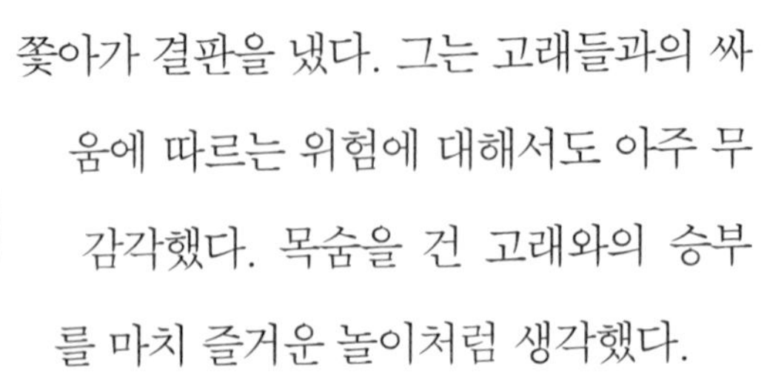

삼등 항해사는 각종 계기에 나타나는 수치를 선장에게 보고하고 선장의 명령을 전달하는 임무를 맡은 선원이야.

항해사들은 에이해브 선장의 명령에 따라 보트를 내리고 고래를 잡으러 나선다. 말하자면 보트의 대장인 셈이다. 이들 보트마다 작살잡이가 함께 타고 고래에게 작살을 꽂을 준비를 한다.

퀴퀘그를 작살잡이로 선택한 사람은 스타벅이었다. 이등 항해사 스터브는 인디언 태시테고를 택했다. 플래스크는 키다리 흑인 대구를 작살잡이로 선택했다. 인디언과 흑인 작살잡이는 당당한 체구에 어떤 어려움도 피하지 않을 것 같은 강인함을 자랑하는 사람들이었다.

낸터킷 섬을 떠난 지 며칠이 지나도록 에이해브 선장은 그림자도 보이지 않았다. 마치 세 항해사들이 배의 지휘자인 양 번갈아 가며 명령을 내렸다. 그러나 가끔 선장실에 들어갔다 나온 항해사들이 느닷없이 호된 명령을 내려 선장실에 있는 누군가의 지휘를 받고 있다는 것을 알 수 있었다. 아무나 들어갈 수 없는 곳이기에 확실히 알 수는 없었지만 선장실에는 분명 피쿼드 호의 최고 우두머리이자 독재자가 있는 게 분명했다.

나는 당번을 서기 위해 갑판으로 갈 때마다 나도 모르게 이리저리 둘러보았다. 얼굴 한 번 보지 못한 지휘자를 볼 수 있을까 해서였다. 에이해브 선장을 향한 두려움과 궁금함이 뒤섞여 거의 미칠 지경이었다. 게다가 누더기 옷을 걸친 일라이저의 저주 섞인 말이 떠오를 때마다 마음이 어수선해 견딜 수 없었다.

음산한 날씨에 하늘은 온통 잿빛으로 뒤덮인 어느 날 아침이었다. 순풍을 탄 배는 물살을 가르며 달리고 있었다. 베일에 싸인 지휘자 에이해브를 만난 것은 바로 그날이었다. 당번을 서기 위해 갑판으로 올라가 고물의 난간을 본 순간 나도 모르게 몸이 떨렸다. 에이해브 선장이 동상처럼 서 있었던 것이다.

큰 키와 당당한 체격에서는 건강한 기운이 느껴졌다. 그러나 앞머리 밑에서 냉혹한 얼굴을 가로질러 옷 속으로 자취를 감춘 상처와 한쪽 다리를 받치고 있는 기괴한 뼈다귀는 소름 끼치는 충격을 주었다. 기괴하게 생긴 하얀 다리는 고래의 턱뼈를 갈아서 만들었다는 것을 이미 들어 알고 있었다.

에이해브 선장은 서 있는 자세도 기괴했다. 배의 뒤쪽 갑판에는 송곳으로 뚫은 것 같은 구멍이 있었다. 에이해브 선장은 그 구멍에 고래뼈 다리를 꽂은 채 서 있었다. 한 팔로 돛 줄을 붙들고 똑바로 서서 물살에 따라 끊임없이 흔들리는 뱃머리 너머 먼 곳을 응시凝視하고 있었다. 단호하고 두려움을 모르는 눈빛에는 굳센 정신과 굽힐 줄

응시(凝視) : 눈길을 모아 한 곳을 똑바로 바라봄.

얼굴의 상처하고
저 고래뼈 다리는
정말 충격적이군.

모르는 강한 고집이 담겨 있었다.

그는 곧 선장실로 들어갔다. 그러나 그 아침 이후 그는 매일 갑판 위에 모습을 드러냈다.

피쿼드 호는 얼음과 빙산을 뒤로하고 남아메리카 에콰도르의 수도 키토 부근을 지나고 있었다. 열대의 바다로 가려면 반드시 거쳐야 하는 곳이었다.

열대는 적도를 중심으로
남·북회귀선 사이에 있는 지대를
말해. 연평균 기온이 20℃ 이상
되는 지역으로 연중 기온이 높고
강우량이 많은 것이
특징이야.

낮이면 따사로운 봄볕이 잔잔한 물결 위로 부서져 내렸고, 밤이면 보석 박힌 벨벳 옷을 입은 귀부인처럼 매혹적인 하늘이 머리 위에 펼쳐졌다.

에이해브 선장은 잠을 이루지 못하는 듯 밤이 이슥하도록 고래뼈 다리를 조심스럽게 끌며 갑판을 오갔다. 깊은 밤 고래뼈 다리가 덜그럭거리는 소리는 마치 바다 깊은 곳에서 먹잇감을 찾는 상어가 이를 가는 소리처럼 들려 소름이 끼쳤다.

그러던 어느 날 밤이었다. 무엇 때문인지 감정이 격해진 에이해브 선장이 고물 난간에서 돛대까지 무거운 통나무를 굴리듯 쿵쾅대며 걷자 이등 항해사 스터브가 선장의 발소리에 진저리를 치며 말했다.

"선장님, 그 소리를 줄일 방법이 있지 않을까요? 다리에 밧줄을 둥글게 감으면 소리가 덜 날 텐데요."

"뭐야? 개집으로나 내려가 자!"

"선장님, 그럼 내가 개란 말이오? 저는 그런 말에 익숙하지 않습니다. 무척 불쾌하군요."

"닥쳐!"

에이해브 선장이 이를 갈며 노려보자 스터브는 자기도 모르게 뒤로 물러섰다. 침대에 누운 스터브는 에이해브 선장이 미친 것 아니냐며 중얼거렸다.

다음날 아침 식사를 마친 에이해브 선장은 마치 시골 신사가 아침 식사 후 얼마 동안 정원을 산책散策하듯 갑판

산책(散策) : 휴식을 취하거나 건강을 위해서 천천히 걷는 일.

을 거닐었다. 고래뼈 다리가 갑판 위를 내리찍을 때마다 딱딱한 울림이 잔잔한 바다에 울려 퍼졌다. 갑판 위에는 특유의 발자국이 만들어 낸 움푹 들어간 자국이 사방에 나 있었다.

그날 아침에는 자국이 더 깊어 보였다. 그의 초조한 발걸음이 더욱더 깊은 흔적을 남긴 것이었다. 에이해브 선장은 선장실에 틀어박혔다가 다시 갑판을 서성거렸다.

해가 뉘엿뉘엿 질 무렵이었다. 갑판 구멍에 고래뼈 다리를 박은 에이해브 선장이 석양을 등지고 서서 일등 항해사 스타벅에게 외쳤다.

"스타벅, 선원들을 전원 갑판으로 집합시키도록!"

"옛!"

낸터킷 섬을 떠난 이후 내린 첫 명령에 놀란 스타벅이 소리쳤다.

"전원 갑판으로! 돛대 당번도 내려오도록!"

한자리에 모인 선원들은 다소 불안한 표정으로 에이해브 선장을 바라보았다. 에이해브 선장은 뱃전 너머 바다를 한 번 둘러보더니 선원들이 모두 서 있는 쪽을 노려보고는 갑판 위를 왔다 갔다 했다.

선원들이 영문을 몰라 쑥덕대는 소리도 들리지 않는 듯 그는 육중한 발걸음으로 뚜벅뚜벅 걷기만 했다.

에이해브 선장이 왜 모두 집합시킨 거지. 모비 딕이라도 나타난 걸까?

"뭐야? 모두 모아 놓고 고래뼈 다리로도 잘 걸을 수 있다는 걸 자랑하려는 거야?"

스터브가 플래스크의 귀에 대고 속삭였다.

"자네들은 고래를 발견하면 어떻게 할 텐가?"

갑자기 걸음을 멈춘 에이해브 선장이 고함을 쳤다.

"신호를 외칩니다!"

선원들은 큰 소리로 일제히 대답했다.

"좋았어!"

에이해브 선장은 만족스러운 목소리로 말했다.

"그 다음엔, 그 다음엔 어떻게 할 거지?"

"보트를 내려서 쫓아갑니다."

"언제까지 보트를 저을 텐가?"

"고래를 죽일 때까지요."

"아니면 고래에 받쳐 죽을 때까지죠."

선원들의 우렁찬 대답에 에이해브 선장의 얼굴에는 미치광이 같은 웃음이 번졌다. 선원들은 얼굴을 마주 보며 왜 이런 어리석은 질문에 흥분해서 대답하는지 이해할 수 없다는 표정을 지었다.

그러나 에이해브 선장의 입가에는 소름 끼치는 미소가 떠나지 않았다. 돛 줄을 거칠게 휘어잡은 에이해브 선장은 햇빛을 받아 번쩍번쩍 빛나는 금화를 쳐들고 외쳤다.

"자, 이 금화가 보이는가? 이건 16달러짜리 금화다. 스타벅, 망치를 가져 오게."

스타벅이 망치를 가지고 오자 에이해브 선장은 큰 돛대 앞으로 가 섰다.

"머리에 주름이 잡힌 흰 고래를 발견한 사람, 머리가 하얗고 옆구리에 작살 세 개가 꽂힌 그 고래를 발견한 사람이 이 금화의 주인이다!"

머리가 흰 고래를 발견하면 이 금화를 주겠다!
망치는 왜 가져오라는 거야? 도대체 무슨 속셈이지.
고래를 잡으러 갑시다!
흰 고래는 내가 먼저 발견할 거요!
퀴퀘그마저도 이성을 잃었어.
와! 금화다!

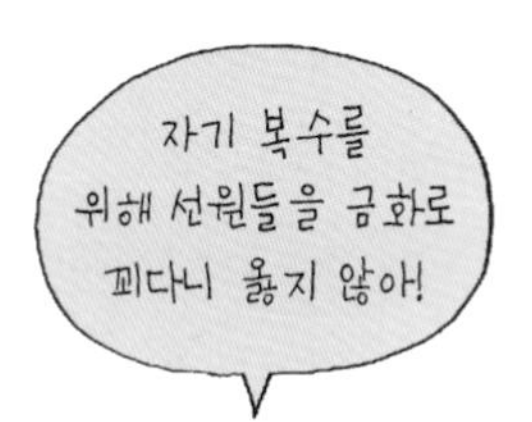

자기 복수를
위해 선원들을 금화로
꾀다니 옳지 않아!

에이해브 선장은 이렇게 외치고는 망치를 건네받아 금화를 돛대에 박았다.

"고래를 잡자! 고래를 잡자!"

선원들은 망치 소리에 맞춰 열광적으로 환호했다.

금화가 돛대에 박히자 에이해브 선장은 망치를 내던지고는 큰 소리로 외쳤다.

"흰 고래란 말이다. 자, 앞으로 눈을 부릅뜨고 그 흰 고래를 찾아라. 물이 하얗게 보이는지 잘 살펴야 한다. 거품이라도 하얗게 보이거든 재빨리 신호를 보내라."

태시테고와 대구, 퀴퀘그는 눈을 동그랗게 뜨고 귀를 기울였다. 머리에 주름이 잡히고 하얗다는 말을 듣자 세 사람은 흰 고래와 얽힌 특별한 추억이 떠오른 듯 서로의 얼굴을 쳐다보았다.

"에이해브 선장."

태시테고가 먼저 입을 열었다.

"그 흰 고래가 혹시 모비 딕 아닌가요?"

"맞다! 태시테고! 바로 모비 딕이다! 자네도 흰 고래를 아는군."

에이해브가 외쳤다.

"그놈은 물속에 들어갈 때 꼬리를 좀 이상하게 흔들지 않습니까?"

태시테고가 다시 물었다.

"그리고 물도 이상하게 뿜어 내지 않나요?"

키다리 흑인 대구는 에이해브 선장이 대답을 하기도 전에 이어 물었다.

"그놈은 향유고래 중에서도 엄청 큰 편에 속하고 기운 또한 센 놈이 아닙니까?"

"선장님, 그놈에겐 작살이 잔뜩 꽂혀 있지 않습니까?"

퀴퀘그가 병마개를 돌려 따는 시늉을 하면서 말을 계속했다.

"작살이 이렇게 꽂혀 있고, 또 이렇게 꽂혀 있지요."

"맞다! 퀴퀘크! 나사형 작살이다!"

에이해브가 외쳤다.

"그리고 맞아, 대구! 그놈은 주둥이에서 큰 보릿단처럼 굵은 물을 내뿜지. 그리고 그놈의 살빛은 깎아 놓은 양털처럼 희다. 태시테고, 잘 봤구나! 그놈은 폭풍 속의 삼각돛처럼 꼬리를 흔들지. 자네들도 모비 딕을 보았어! 모비 딕! 모비 딕을 말이야!"

에이해브 선장은 눈을 번득이며 외쳤다.

가만히 듣고 서 있던 스타벅이 수수께끼가 어느 정도 풀렸다는 표정으로 에이해브 선장에게 물었다.

"에이해브 선장, 모비 딕에 대해 언젠가 들은 적이 있습니다. 당신의 다리를 물어뜯은 게 그놈 아닌가요?"

"맞다! 내 돛대를 꺾어 버린 것도, 내게 이 망할 놈의 고래뼈 다리를 붙여 준 것도 바로 그놈이다. 나는 그 저주받은 흰 고래를 반드시 찾아낼 것이다."

에이해브 선장은 슬픔에 겨운 짐승이 내지르는 비명 같은 소리로 흐느끼기 시작했다.

"아아, 나는 어디까지나 그놈을 쫓아갈 것이다. 희망

봉이든 혼 곶串이든, 아니 지옥이든 간에 그놈을 쫓아갈 것이란 말이다. 그 고약한 흰 고래 놈이 검은 피를 뿜어 올리고 지느러미를 축 늘어뜨릴 때까지 쫓아갈 테다. 어떤가? 모두들 나를 따를 텐가?"

칠레 남쪽 혼 섬에
있는 혼 곶은 420미터 높이의
절벽이 바다에 다가서
있는데다 파도가 거칠어서
항해하기 어려운 곳이야.

"흰 고래를 잡자! 모비 딕을 죽이자!"

흥분한 작살잡이와 선원들은 소리 높여 외쳤다. 하지만 스타벅은 불만스러운 목소리로 말했다.

"선장, 나는 고래를 잡으러 온 것이오. 선장의 복수를 위해 이 배를 탄 게 아니란 말이오. 그리고 말 못하는 짐승에게 원한을 품고 복수를 꿈꾸다니, 그건 미친 짓이에요!"

"스타벅, 미친 짓이라고 했나? 나를 모독하지 말게. 태양이라도 나를 모욕하면 때려 부수고 말 걸세. 잘 생각해 보게. 나는 그저 고래 한 마리 잡는 것을 도와 달라는 것

곶(串) : 바다로 돌출한 육지. 곶보다 규모가 큰 것을 반도라고 함.

뿐일세. 피쿼드 호의 선원들 모두 한마음으로 뭉쳤어. 자네 눈엔 보이지도 들리지도 않는가? 못마땅해도 할 수 없네. 이 배에 타고 있는 한 내가 시키는 대로 하게."

선장의 눈빛은 광기로 이글거렸다.

이어 에이해브 선장은 술을 가져오라며 소리쳤다.

"자, 모비 딕의 최후를 위해 마시자. 만약 모비 딕을 죽이지 못하면 내가 하늘의 심판審判을 받겠다!"

에이해브 선장의 모비 딕을 향한 분노는 점점 커져 가고 있었다. 선원들은 정체를 알 수 없는 공포심 때문에 더욱더 큰 소리로 외쳤다. 그러는 사이 선원들은 에이해브 선장의 불타는 분노를 자신들의 것처럼 여겼다. 스타벅은 점점 이성을 잃어 가는 선원들을 보며 두려움을 느꼈다.

'아! 나는 미치광이의 노예가 되어 버리고 말았다. 하지만 내 마음속에서는 그를 도와야 한다고 속삭인다. 나도 선원들처럼 이성을 잃고 말았구나. 피쿼드 호의 앞날

심판(審判) : 하나님이 인간과 세상의 죄를 제재함. 또는 그런 일.

에는 어떤 일이 기다리고 있을지 두렵기만 하다.'

나 역시 괴물 같은 흰 고래를 꼭 잡아 복수를 해야 한다고 맹세할 정도로 이성을 잃어 가고 있었다.

모비 딕은 전설적인 고래였다. 그 녀석과 맞서 팔다리를 잃거나 목숨을 잃는 선원이 잇따르자 용감한 고래잡이들도 모비 딕의 이야기를 들으면 넋을 잃을 정도였다.

고래는 크게
이빨고래류와 수염고래류로
분류하는데 향유고래는
이빨고래류에 속해. 지구 상에서
이빨을 가진 동물 중 가장 큰
동물이 향유고래란다.

모비 딕에 관한 소문은 고래잡이들 사이에서 꼬리에 꼬리를 물고 이어지며 훨씬 더 소름 끼치는 것으로 부풀려졌다.

어떤 향유고래보다도 큰 모비 딕은 머리에 하얀 혹이 있어 멀리서도 쉽게 알아볼 수 있었다.

실제로 모비 딕과 맞서 싸운 선원은 그리 많지 않았다. 그럼에도 모비 딕이라는 이름만으로도 사람들이 공포에 떠는 것은 녀석의 난폭한 성격과 보기 드물게 거대한 몸집, 그리고 흉악한 교활함 때문이었

다. 녀석은 달아나는가 싶다가도 갑자기 돌아서서 보트를 들이받기도 하고, 물속으로 숨었다가 예상하지 못한 곳에서 떠올라 보트를 들이받은 적이 한두 번이 아니었다.

지난번 모비 딕과의 대결에서 에이해브 선장은 부서진 보트의 이물에 서서 단도를 들고 모비 딕을 공격했다. 녀석이 낫 모양의 아래턱을 치켜드는가 싶더니 풀이 낫에 베이듯 선장의 다리가 싹둑 잘려 나가고 말았다.

에이해브 선장은 잘려져 나간 다리에서 뿜어져 나오는 피를 보며 복수를 꿈꾸었다. 그것이 이 기나긴 복수의 시작이었다. 시간이 흘러 상처도 아물고, 마음도 안정을 되찾았지만 불타는 복수심이 사라진 것은 아니었다. 그는 모비 딕을 잡을 날만을 기다렸다.

돛대에 금화를 박아 놓고 자신의 복수에 선원들을 끌어들인 그날 밤 이후, 에이해브 선장은 선실에서 해도海圖를

해도(海圖) : 바다의 상태를 자세히 적어 넣은 항해용 지도. 바다의 깊이, 암초의 위치, 조류의 방향, 항로 표지 따위가 자세하게 나와 있음.

으악!
내 다리!
에이해브 선장!
다, 다리가 고래의
입속으로…….

펼쳐 놓고 항로를 연구했다.

해도 옆에는 낡은 항해 일지日誌가 펼쳐져 있었다. 그 일지에는 향유고래를 보았거나 잡았던 장소와 시기가 적혀 있었다.

세계의 해양 가운데 특히 넓은 해역을 차지하는 대규모의 바다를 대양이라고 하는데 태평양, 인도양, 대서양, 북빙양, 남빙양을 오대양이라고 한단다.

광활한 대양을 자기 집 안마당 누비듯 떠돌아다니는 고래를 뒤쫓는 일은 어리석고 부질없는 일처럼 보일지도 모른다.

그러나 고래들은 해류나 먹이를 따라 대개 정해진 코스를 다니기 때문에 어느 때 어느 곳에서 모비 딕을 만날지 예측하는 것은 어려운 일만은 아니었다.

밤이 이슥하도록 선실에 틀어박혀 해도를 들여다보던 에이해브 선장이 중얼거렸다.

"이번엔 절대 놓칠 리 없어. 나는 그놈을 잘 알거든."

일지(日誌) : 그날그날의 일을 적은 기록이나 그런 책.

5장

최초의 추적

흐리고 무더운 오후였다. 선원들은 갑판 위를 건들거리며 거닐거나 바다를 멍하니 바라보고 있었다. 바다 위에는 아주 나른한, 꿈꾸는 듯한 분위기가 감돌았다.

그런데 그때, 참으로 이상한 소리가 들려와 이런 분위기가 삽시간에 깨지고 말았다. 기다란 꼬리를 끄는, 이 세상의 것이라고는 생각되지 않는 무시무시한 소리가 들리자 나는 소리가 들려오는 바다 쪽을 바라보았다.

"물을 뿜는다! 저기! 고래가 물을 뿜는다!"

돛대 위에서 망을 보던 태시테고가 미친 사람처럼 팔을 휘저으며 소리쳤다.

고래다!
고래가 나타났다!
드디어
모비 딕이
나타난 거야?

배 안에는 순식간에 큰 소동이 일었다. 향유고래는 시계의 똑딱 소리처럼 규칙적으로 물을 뿜고 있었다. 고래잡이들은 그 소리로 다른 물고기와 향유고래를 구별했다.

"지금이 몇 시지?"

에이해브 선장이 고함치듯 물었다. 선원 한 사람이 선실로 뛰어가 시계를 보고 정확한 시간을 에이해브 선장에게 보고했다.

피쿼드 호는 바람을 등지고 앞으로 나아가고 있었다. 태시테고가 고래가 머리를 바람이 부는 쪽으로 향한 채 잠수했다고 보고했기 때문에 우리는 틀림없이 고래가 배 앞으로 떠오를 것이라고 생각했다.

향유고래에게는 기막힌 재주가 있었다. 다른 고래보다 오래 잠수할 수 있는 향유고래는 물속 깊이 들어갔다 한참 만에 전혀 예상치 못한 곳으로 떠오르기 때문에 이 속임수에 당하는 고래잡이들이 많았다.

선원들은 고래를 추적하기 위해 보트를 내릴 준비를 했다. 군함의 군인들처럼 동작이 민첩했다. 나는 등 뒤에서

느껴지는 이상한 기운에 고개를 돌렸다.

피쿼드 호를 탄 이후 한 번도 본 적이 없는 사내 다섯 명이 에이해브 선장을 둘러싸고 서 있었다. 그들은 마닐라 토착민土着民 특유의 누런 살빛에 다부진 체격을 하고 있었다.

에이해브 선장이 그들 중 한 사람에게 물었다.

"페들러, 준비는 됐겠지?"

"예, 선장님!"

"빨리 보트를 내려라. 알겠나?"

에이해브 선장의 명령에 따라 배 뒤편에서 좀처럼 내려지는 일이 없는 선장용 보트가 내려졌다. 낯선 사람들을 쳐다보고 있던 선원들도 후닥닥 보트를 내렸다. 세 척의 보트는 요동을 치며 바다로 내려졌다. 선원들은 날쌘 동작

토착민(土着民) : 대대로 그 땅에서 살고 있는 백성.

으로 보트에 뛰어들어 노를 잡았다.

보트에는 항해사들과 그들의 작살잡이, 그리고 노를 저을 선원들이 타고 있었다. 에이해브 선장과 페들러 일행이 탄 보트는 벌써 날렵하게 앞으로 나가 고래를 뒤쫓고 있었다.

"보트 간격을 벌려! 넓게 흩어지라고!"

에이해브 선장이 소리쳤다. 나는 스타벅의 보트에 타고 있었다. 선원들은 선장의 보트를 몰고 있는 낯선 사내들에게 신경 쓰느라 제대로 앞으로 나아가지 못했다.

"넓게 흩어지라니까! 있는 힘껏 노를 저어라. 플래스크, 바람이 부는 쪽으로 앞서 나가라고!"

에이해브 선장은 천둥 같은 목소리로 지시했다.

"저 누런 사람들은 신경 쓰지 마."

"나는 저들이 배 안에 있다는 걸 진작부터 알고 있었어. 저자들은 분명 밀항자密航者일 거야."

밀항자(密航者) : 법적 절차를 밟지 않고 몰래 배나 비행기로 외국을 오가는 사람.

선원들은 노를 저으며 이런 말을 주고받았다.

스터브의 보트 옆으로 스타벅이 탄 보트가 가까이 오자 스터브가 소리 높여 물었다.

"스타벅 항해사님! 저놈들의 정체는 뭘까요?"

"선장이 출항하기 전에 저들을 몰래 태운 모양이야. 황당한 일이지만 지금은 말하지 마세나. 바로 코앞에서 고래 떼가 물을 뿜고 있지 않은가."

"맞는 말이오. 선장 마음대로 하라죠, 뭐. 모두 힘껏 노를 저어라. 어서!"

에이해브 선장이 탄 보트는 무서운 속도로 달려 나가고 있었다. 에이해브 선장은 균형을 잡기 위해서인 양 한 팔을 비스듬히 치켜들고 키를 잡고 있었다.

앞만 뚫어지게 바라보던 에이해브 선장이 팔을 흔들어 신호를 보냈다. 선장이 탄 보트는 물론 다른 보트들도 일제히 멈춰 섰다. 술렁이던 바다가 순식간에 조용해졌다. 고래들이 모두 바닷속으로 잠수한 것이었다.

잠시 뒤 고래 떼가 물 위로 동시에 솟아올랐다. 네 척의 보트는 재빨리 흩어져 고래 떼를 향해 노를 저어 나갔다. 스타벅과 나, 그리고 퀴퀘그가 탄 보트가 고래 가까이 다가갔다.

"퀴퀘그, 일어서!"

스타벅의 지시에 퀴퀘그는 작살을 움켜쥔 채 벌떡 일어나 뱃머리에 올라섰다. 보트는 빠른 속도로 고래에게 다가갔다.

"자, 한 방에 명중시켜라!"

스타벅의 말이 끝나기가 무섭게 작살은 바람을 가르며 날아갔다. 그 순간 세상의 모든 것이 미쳐 날뛰는 듯한 요란한 소리와 함께 보트는 뒤집어지고 말았다. 털썩 떨어진 돛은 찢어졌고, 선원들은 파도 속으로 내동댕이쳐졌다. 정신을 차리고 보니 고래는 작살에 슬쩍 스친 가벼운 상처만 입은 채 유유히 헤엄쳐 나가고 있었다.

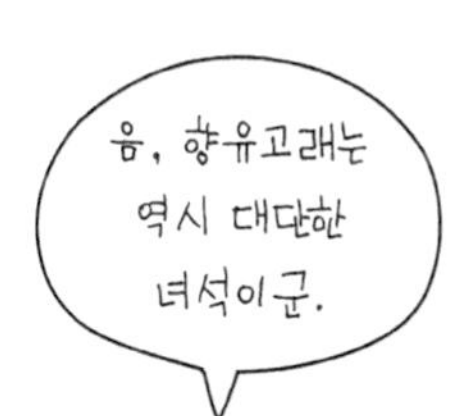

우리는 바다에 빠진 노를 건진 뒤 보트에

으악!
사람 살려!
으악!
보트가 뒤집혔다!
모두
정신 똑바로
차려!

기어올랐다. 주위를 둘러보았지만 피쿼드 호와 다른 보트들은 보이지 않았다.

어둠이 내려앉기 시작한 바다에 바람까지 거세게 불었다. 어둠은 빠르게 내려앉았다. 한 치 앞도 분간할 수 없는 어둠 속에서 우리가 할 수 있는 일은 아무것도 없었다. 하얀 이빨을 드러내며 보트를 집어삼킬 듯 넘실거리는 파도에 몸을 내맡긴 채 모두 입을 다물고 있었다.

온몸이 흠뻑 젖은 우리는 추위에 와들와들 떨며 동이 트기만을 기다렸다. 그때, 갑자기 퀴퀘그가 벌떡 일어나더니 손을 귀에 갖다 댔다. 모두들 조용히 귀를 기울였다. 배의 가로대가 삐걱거리는 소리가 들려왔다.

그 소리는 점점 가까이 다가왔다. 두려움에 휩싸인 우리는 모두 바다로 뛰어들었다. 그제야 짙은 어둠 속에서 피쿼드 호가 흐릿하게 시야에 들어왔다.

피쿼드 호의 선원들은 우리가 모두 죽었을 것으로 여겼다고 했다. 혹시 우리의 시신이나 유품이라도 찾을까 해서 찾아나선 길이었다는 것이다.

나는 몸을 흔들어 물을 털며 퀴퀘그에게 물었다.

"이봐, 이런 일이 자주 일어나나?"

"그럼, 흔히 일어나는 일이지."

퀴퀘그 역시 젖은 옷을 털며 아무렇지 않은 표정으로 대답했다. 나는 그제야 고래잡이는 보트가 뒤집히는 일쯤은 예삿일로 여겨야 한다는 걸 알았다. 그리고 고래를 쫓기 위해 보트에 올라타는 순간 내 목숨은 키잡이에게 달려 있음도 알게 되었다.

나는 모비 딕이라는 흉악하기 짝이 없는 고래를 쫓을 운명에서 벗어날 수 없다는 것을 깨닫고는 유서라도 미리 써 두어야겠다는 생각이 들었다.

"이봐, 퀴퀘그. 나의 고문 변호사이자 유산 상속자가 되어 주지 않겠나?"

나는 퀴퀘그를 보며 진지하게 말했다. 그때 스터브가 목소리를 높여 퀴퀘그와 더 이상 이야기를 할 수 없었다.

"선장이 직접 보트에 타고 고래잡이에 나선다는 게 말이 된다고 생각하나?"

스터브의 말을 받아 다른 선원이 대답했다.

"별로 이상한 일도 아니지요. 만일 에이해브 선장에게 두 다리가 모두 없다면 모를까요."

선원들의 안전한 항해를 끝까지 책임져야 할 선장이 몸소 위험한 고래잡이에 나서는 건 현명賢明한 일이 아니다. 물론 에이해브 선장도 이 사실을 잘 알고 있다. 낯선 사내 다섯 명은 선장이 직접 고래잡이에 나서기 위해 대비해 놓은 것이었다.

며칠이 지나고 몇 주일이 지났다. 순풍에 돛을 단 피쿼드 호는 아조레스 제도諸島, 베르데 곶을 지나 세인트헬레나 섬 남쪽의 캐롤라인 제도 근처를 천천히 지나고 있었다.

달빛이 환한 어느 고요한 밤이었다. 먼 바다에서 하얀 물기둥이 분수처럼 쏘아 올려지

태평양 서부
미크로네시아에 있는
캐롤라인 제도는 미국령으로
대부분이 산호초로
이루어져 있어.

현명(賢明) : 어질고 슬기로워 사리에 밝음.
제도(諸島) : 모든 섬. 또는 여러 섬.

는 광경이 보였다. 밤에도 망루에 올라 망을 보는 것이 습관처럼 된 페들러가 그 광경을 보고 소리를 질러 댔다. 보고를 받은 에이해브 선장이 갑판으로 나와 명령을 내렸다.

"돛을 올리고 전속력으로 달려라!"

그러나 물기둥은 다시 보이지 않았다.

그즈음 에이해브 선장은 항해사들에게 말을 거는 일도 거의 없이 쓸쓸하고 고독한 표정으로 침묵을 지켰다.

피쿼드 호가 아프리카 남쪽 끝 희망봉을 지날 때 폭풍이 무섭게 몰아쳤다. 폭풍은 피쿼드 호 주위에서 미친듯이 울부짖었다. 피쿼드 호는 파도가 높이 용솟음칠 때마다 치솟았다가 순식간에 떨어져 내렸다.

선원들이 나뭇잎처럼 흔들리는 배에 매달려 공포에 떨고 있을 때도 에이해브 선장은 선실에 틀어박혀 해도만 뚫어져라 바라보고 있었다.

그는 정말 무서운 사람이었다.

이렇게
무시무시한
파도는 처음이야!
퀴퀘그,
우리 무사히
돌아갈 수 있을까?
에이해브
선장은 뭐하고
있는 거야?
하늘이
노하셨나 봐!

6장

에이해브 선장의 무서운 집념

모비 딕을 쫓으며 항해하는 동안 피쿼드 호는 여러 나라의 배들을 만났다. 그때마다 에이해브 선장은 모비 딕을 보았는지를 빼놓지 않고 물었다.

"한 달 전에 모비 딕을 봤소."

"몇 주 전에 모비 딕과 사투를 벌이다 선원들을 여럿 잃었다오."

"모비 딕이라면 치가 떨려 두 번 다시 생각하기 싫소."

모비 딕을 보았다는 선장과 선원들은 제법 많았다. 모비 딕이라는 말을 내뱉으며 그들은 모두 공포에 떨었다.

어느 날 귀향길에 오른 고래잡이배 타운 호를 만났다.

이상하게도 그 배의 선원들은 모두 폴리네시아 인들이었다. 피쿼드 호 선원들은 타운 호 선장에게서 모비 딕에 관한 신비로운 이야기를 전해 들었다.

타운 호는 항해를 하던 중에 배에 구멍이 나 물이 새어 들어왔다. 선원들은 물을 빼내기 위해 잠시도 쉬지 못하고 펌프질을 해야 했다. 항해사는 선원들의 고생은 알아주지도 않고 욕을 하며 힘든 노동을 강요했다.

그러자 일부 선원들이 무자비한 항해사의 지시를 거부하고 반란을 일으켰다. 반란을 일으킨 선원들은 곧 붙잡혀 배 아래 갇혔다. 선장과 항해사는 이들에게 물도 음식도 주지 않았다. 그러자 갇힌 선원들은 반란을 없었던 일로 해 달라는 조건을 내걸며 항복했다.

그러나 항해사는 반란을 주동한 선원을 심하게 매질했다. 약속을 어긴 데 앙심을 품은 그 선원은 항해사를 살해할 마음을 먹고 호시탐탐 기회만 노렸다.

그때 어디선가 모비 딕이 나타났다. 항해사는 즉시 보

트를 타고 모비 딕을 뒤쫓으며 작살을 날렸다. 달아나는 듯하던 모비 딕은 갑자기 몸을 돌려 보트를 들이받았다. 보트가 뒤집어지면서 항해사는 물에 빠졌다. 모비 딕은 재빨리 다가와 항해사를 한입에 삼켜 버렸다.

타운 호의 선원들은 모비 딕을 신을 대신한 정의의 사도로 여기며 다시 만날까 두려워했다. 타운 호가 인근 항구에 정박하자 선원들이 모두 도망쳐 버려 하는 수 없이 폴리네시아 선원들을 충원해 다시 항해에 나섰다.

모비 딕이
선원들을 대신해서
항해사에게 벌을
주었나 봐!

이 이야기는 모비 딕을 한층 더 신비로운 존재로 만들어 주었다. 그러는 한편 모비 딕을 악의 화신으로 여기는 에이해브 선장의 생각이 편견偏見일지도 모른다는 생각을 선원들에게 갖게 해 주었다.

편견(偏見) : 공정하지 못하고 한쪽으로 치우친 생각.

피쿼드 호는 인도양의 자바 섬 근처를 향해 나아갔다. 어느 맑은 날 아침이었다. 믿어지지 않을 정도로 물결이 잔잔해 드넓은 바다는 깊은 침묵에 잠겨 있었다.

"저게 뭐지?"

가운데 돛대 꼭대기에서 망을 보던 작살잡이 대구는 정체를 알 수 없는 이상한 것을 보았다. 저 멀리 푸른 물속에서 희고 커다란 물체가 머리를 천천히 쳐들며 떠올랐다. 그러다 천천히 물속으로 가라앉았다 이내 다시 떠올랐다. 그것은 눈처럼 하얗게 빛났다.

"저 앞에 모비 딕이 나타났다!"

돛대 옆에 서 있던 에이해브 선장은 대구가 팔을 뻗어 가리키는 방향을 눈을 번뜩이며 지켜보았다. 거기에는 분명 커다랗고 하얀 물체가 물 위에 떠 있었다.

에이해브 선장은 즉시 보트를 내리라고 명령했다. 이윽고 보트 네 척이 에이해브 선장을 선두로 하얀 물체를 향해 똑바로 질주했다. 하얀 물체는 다시 물속으로 가라앉았다. 보트도 노 젓기를 멈추고 다시 나타나기를 기다렸다. 그놈은 가라앉은 자리에서 다시금 천천히 머리를 쳐 들었다.

에이해브 선장과 보트에 탄 선원들은 기이하게 생긴 그 괴물을 지켜보았다. 거대하고 유연한 물체는 번쩍번쩍 유백색乳白色으로 빛났다.

몸 전체 길이가 10미터가 넘는 대왕오징어를 사람들은 '신비의 해저 괴물'이라고 해.

"저게 도대체 뭐죠?"

"대왕오징어야. 저놈을 본 고래잡이 배는 무사히 항구로 돌아가지 못한다는 말이 있지."

한 선원의 질문에 스타벅이 대답했다.

그러자 퀴퀘그가 내 귀에 대고 소곤거렸다.

"대왕오징어가 보이면 곧이어 향유고래가 나타나. 오징어는 향유고래가 아주 좋아하는 먹잇감이거든."

유백색(乳白色) : 젖의 빛깔과 같이 불투명한 흰색.

에이해브 선장은 묵묵히 보트를 돌렸다.

다음날은 특히 파도가 잔잔하고 무더웠다. 선원들은 졸음에 겨워 꾸벅꾸벅 졸았다. 그날은 내가 망을 볼 차례였다. 나는 축 늘어진 돛대 밧줄에 어깨를 기대고 서서 아무 생각 없이 바다를 바라보고 있었다.

불과 100미터도 채 떨어지지 않은 곳에서 하얀 물거품이 이는 듯했다. 나는 정신이 번쩍 들었다. 눈을 크게 뜨고 자세히 보니 거대한 향유고래 한 마리가 자유롭게 헤엄치고 있었다. 고래의 넓은 등은 햇빛을 받아 거울처럼 반짝였다. 거대한 고래가 물기둥을 뿜어 올리자 돛대 꼭대기에서 망을 보던 세 명의 선원이 동시에 외쳤다.

"고래다, 고래가 나타났다!"

에이해브 선장은 보트를 내리라고 고함을 쳤다. 그러고는 키잡이가 보트를 타기도 전에 달려가 손수 키를 조종했다.

선원들의 외침에 당황했는지 고래는 미끄러지듯이 헤엄치기 시작했다. 에이해브 선장은 최대한 조용히 고래에게 다가갈 것을 지시했다.

선원들은 조용히 노를 저어 나갔다. 가까이 다가간 보트 앞에서 고래는 꼬리를 공중으로 추켜올리는가 싶더니 물속으로 쑥 들어가 버렸다. 스터브는 놈이 어디로 떠오를지 주시하면서 성냥을 꺼내 파이프에 불을 붙였다. 순간 스터브의 보트 앞에 아까 그 고래가 불쑥 머리를 들이밀며 떠올랐다.

'저놈은 내가 잡는다!'

스터브는 마음속으로 중얼거렸다.

위험에 빠졌다는 걸 알아챈 고래는 물보라를 일으키며 도망치기 시작했다.

"쫓아라! 덤비지 말고 침착하게!"

스터브는 담배 연기를 내뿜으며 외쳤다.

"우후! 와히!"

작살잡이 태시테고는 인디언의 함성 같은 소리를 고래고래 내질렀다.

"태시테고, 작살을 던져라!"

태시테고, 저놈을
절대 놓쳐서는
안 된다!
우후! 와히!

스터브의 명령에 따라 태시테고의 작살은 바람을 가르며 날아가 고래의 옆구리에 푹 박혔다.

고래는 작살이 박힌 채 달아나기 시작했다. 보트는 모든 지느러미의 힘을 다해 달리는 상어처럼 질주했다. 이물에는 흰 물방울이 끊임없이 요란하게 튀었고, 고물에는 소용돌이가 끊임없이 일었다. 마침내 고래가 지친 듯 속도를 늦추었다.

"지금이다! 가까이 가라!"

스터브가 외쳤다.

보트가 고래 옆으로 가까이 다가가자 스터브는 밧줄을 걸어매는 말뚝에 무릎을 단단히 고정시키고는 달아나는 고래를 향해 창을 던졌다.

보트는 스터브의 명령에 따라 고래 가까이 다가갔다. 그러다 고래가 몸부림을 치면 피해서 달아났다가 또다시

이물 : 배의 앞부분.

고물 : 배의 뒷부분.

창을 던지기 적당한 위치에 다가갔다. 그때마다 스터브는 기회를 놓치지 않고 고래 옆구리에 창을 찔러 넣었다.

고래는 고통스러운 숨을 날카롭게 내뱉으며 몸부림을 쳤다. 고래의 몸통에서는 이내 시뻘건 피가 콸콸 쏟아졌다. 쏟아진 피는 거품을 일으키며 바다를 붉게 물들였다. 펄떡거리던 고래가 움직임을 멈추자 태시테고가 말했다.

"완전히 뻗었어요, 스터브 항해사님!"

스터브는 입에 물고 있던 파이프의 담뱃재를 물 위에 털어 버리고는 잠시 동안 가만히 서서 자기가 잡은 거대한 고래의 주검을 바라보았다.

스터브와 동료들은 피쿼드 호까지 고래를 힘겹게 끌고 갔다. 에이해브 선장은 멍한 눈길로 고래를 보더니 잘 붙들어 매 두라는 한마디를 남기고 선장실로 들어가 버렸다. 모비 딕이 아닌 다른 고래에게는 관심이 없었던 것이다.

날이 밝자 고래를 해체하는 작업이 시

용연향은
수컷 향유고래의 창자 속에
생기는 송진 비슷한 물질인데
값비싼 향수의 원료로
인기가 아주 높아.

작됐다. 선원들이 귀하게 다루는 것은 살이 아니고 바로 기름이었다.

특히 향유고래에서 나오는 용연향이라는 향료는 양이 무척 적어 엄청나게 비싼 값에 거래됐다.

피쿼드 호는 항해를 계속했다. 필리핀 제도를 지나 일본의 해안까지 갈 작정이었다. 그러면 전 세계에 향유고래가 나타나는 지역은 다 돌아다니는 셈이었다.

에이해브 선장은 마지막으로 태평양의 적도선赤道線으로 내려가면 다른 곳에서 추적에 실패했던 모비 딕을 만나 대결을 펼칠 수 있으리라고 생각했다. 그 바다는 모비 딕이 가장 자주 나타나는 곳으로 알려져 있었다. 계절적으로도 모비 딕이 출현할 가능성이 아주 높았다.

"이제 망을 잘 봐야 한다. 절대 졸면 안 된다."

에이해브 선장은 당번에게 신신당부했다.

적도선(赤道線) : 지구의 남북 양극으로부터 같은 거리에 있는 지구 표면에서 점을 이은 선. 춘분과 추분 때 태양이 바로 위를 지나감.

내 생전
저렇게 많은
고래는 처음 봐!
엄청난
고래 떼다!
저 고래 중에
모비 딕이
있을까?

그러나 향유고래 떼의 물기둥은 한 번도 보이지 않았다. 이 근처에서 고래를 만나게 되리라는 생각을 포기하려는 순간이었다.

"고래다! 고래 떼다!"

망루에서 망을 보던 당번이 함성을 질렀다.

선원들은 일제히 고개를 돌려 당번이 가리키는 곳을 바라보았다. 끝없이 이어지는 고래의 물기둥이 수평선水平線에서 찬란히 빛나고 있었다.

돛을 활짝 편 피쿼드 호가 수평선을 향해 달려갔다. 이어 세 척의 보트가 바다에 내려졌다. 스타벅이 지휘하는 보트에 탄 퀴퀘그와 나는 용감하게 고래를 향해 나아갔다. 하지만 그날은 향유고래 한 마리로 만족해야 했다. 위험이 닥쳤다는 것을 본능적으로 안 고래 떼가 빠른 속도로 도망을 쳤기 때문이다.

수평선(水平線) : 물과 하늘이 맞닿아 경계를 이루는 선.

7장

폭풍 속의 피쿼드 호

“이봐요! 혹시 모비 딕을 보았소?”

에이해브 선장은 가까이 스쳐 지나가는 영국 국기를 단 배를 향해 소리쳤다.

“이 팔이 보이시오?”

영국 배의 선장은 소매 속에 감추고 있던 향유고래의 뼈로 만든 팔을 치켜들며 대답했다.

“내 보트를 내려라!”

에이해브 선장은 숨 가쁘게 외쳤다. 잠시 뒤 보트가 내려지자 에이해브 선장은 보트에 올라타 영국 배로 다가갔다. 영국 배의 선장은 에이해브 선장이 줄사다리를 타지 못한다는 것을 알아채고는 선원들에게 끌어올리라고 명령했다.

에이해브 선장이 영국 배의 갑판에 내려서자 선장은 고래뼈로 만든 팔을 환영하는 뜻으로 내밀었다. 에이해브 선장도 고래뼈 다리를 내밀며 말했다.

"허허허! 뼈끼리 인사를 나누는군요. 모비 딕을 언제 보았소? 어디서 보았소?"

"으으, 모비 딕……."

영국 배의 선장은 아직도 분을 삭이지 못한 듯했다.

"얼마 전에 보았소."

"그놈에게 팔을 빼앗겼소?"

"그렇소. 그놈 때문에 내 팔이 잘려 나갔소. 당신 다리도 그놈 짓인가요?"

"그렇다오. 그놈을 어디서 만났소?"

"우리 배는 적도를 지나고 있었소. 어느 날 몇 마리의 고래를 쫓다가 한 놈에게 작살을 던졌다오. 그런데 그놈의 고래가 어찌나 힘이 세던지 우리 보트를 이리저리 마

당신 다리를
그놈이 먹어
버렸소?
당신
팔도 그놈
짓이군요?

구 끌고 다녔소. 그런데 갑자기 바다 밑에서 거대한 놈이 불쑥 솟아올랐소."

"어떻게 생긴 놈이었소?"

"머리는 우윳빛처럼 희고 온몸은 주름투성이였소."

"그놈이오! 그놈이 바로 모비 딕이 맞소!"

흥분한 에이해브 선장이 소리쳤다.

"작살 몇 개가 꽂혀 있었소."

"맞소, 맞소! 바로 내가 꽂은 거요. 내 작살이오!"

영국인 선장은 말을 계속했다.

"나는 그놈이 그렇게 무서운 놈인 줄 몰랐소. 나는 일등 항해사가 탄 보트에 옮겨 타고 그놈 가까이 가서 작살을 박아 넣었소. 그런데 그놈의 꼬리가 거대한 산처럼 솟아오르더니 우리 보트를 산산이 부숴 놓았소."

"그래서요?"

"나는 그놈 몸뚱이에 박힌 작살을 꽉 붙들고 그놈에게 매달렸소. 그런데 그놈이 물속으로 곤두박질치는 순간 그놈의 몸통에 박혀 있던 다른 작살이 내 팔을 스치고 지나갔소. 불칼을 맞은 듯 정신이 아득했었다오."

"모비 딕은, 모비 딕은 어찌 되었소?"

"물속으로 들어간 뒤 한동안 모습을 드러내지 않았소."

"그 뒤엔 그놈을 만나지 못했소?"

"두 번 만났소."

"작살을 던지지 않았소?"

"그러고 싶지 않았다오. 이미 바친 한 팔만으로도 충분充分한 것 아니오? 남은 한 팔마저 그놈에게 바치기는 싫소이다. 그놈은 그냥 내버려 두는 게 좋을 것 같소. 선장 생각은 어떻소?"

"맞는 말이지만 나는 그놈을 꼭 잡아야만 하오. 그놈이 어디로 간 것 같소?"

"동쪽으로 간 것 같소만……."

영국인 선장은 에이해브 선장에게 대답한 뒤 옆에 서 있던 페들러에게 속삭였다.

남은 한 팔마저 모비 딕에게 바치기 싫다는 영국인 선장과는 달리 에이해브 선장은 왜 그렇게 모비 딕을 필사적으로 쫓는 걸까?

충분(充分) : 모자람이 없이 넉넉함.

"당신 선장은 완전히 돌았구려."

에이해브 선장은 보트를 타고 피쿼드 호로 돌아오는 내내 꼿꼿이 선 채 조금도 움직이지 않았다.

항해를 계속하던 피쿼드 호는 타이완과 바시 해협海峽 근처를 달리고 있었다. 이 무렵 나의 야만인 친구 퀴퀘그는 죽음과 싸우고 있었다.

날씨가 무척 더워 땀을 줄줄 흘리면서도 이상하게 춥다며 덜덜 떨었다. 열병에 걸린 줄 몰랐던 것이다. 며칠 동안 그렇게 떨다가 결국 해먹에 드러누웠다. 건장하던 몸은 며칠 사이에 뼈대와 문신밖에 남지 않았다.

아, 퀴퀘그가
열병에 걸렸어.
퀴퀘그, 힘을 내!

그가 완쾌되리라고 믿는 사람은 아무도 없었다. 퀴퀘그도 그 사실을 받아들이는 듯했다.

"낸터킷 섬에 있을 때 말이야. 검은 나무로 만든 작은 카누를 보았어. 검은 나무는 고향 섬

해협(海峽) : 육지 사이에 끼어 있는 좁고 긴 바다로 양쪽이 넓은 바다로 통함.
해먹 : 기둥 사이나 나무 그늘 같은 곳에 달아매어 침상으로 쓰는 그물.

의 반얀 나무와 비슷했지. 그런데 고래잡이가 죽으면 그 카누에 태워서 바다로 띄워 보낸다고 하더군. 우리 부족도 용사가 전사하면 향유를 뿌려 통나무배에 태워. 그러고는 바다 위에 별처럼 총총히 떠 있는 섬들이 있는 곳으로 떠내려 보내지. 내가 죽으면 다른 선원들처럼 바다에 내던져져 상어의 먹이가 되겠지. 난 그 생각만 하면 정말 끔찍해서 몸서리가 처져."

배에 타고 있던 목수가 이 말을 전해 듣고는 지난번 항해 때 원시림原始林에서 베어 온 나무로 관을 만들기 시작했다. 관이 완성되자 퀴퀘그는 자기 옆에 갖다 달라고 했다.

"한 번 누워 보고 싶은데……."

선원들은 퀴퀘그를 안아 올려 관에 눕혀 주었다. 그는 애지중지하던 작살과 노를 관 속에 넣어 달라고 했다. 그러고는 뚜껑까지 덮어 달라고 했다.

"편하군. 아주 맘에 들어."

원시림(原始林) : 사람의 손이 가지 아니한 자연 그대로의 삼림.

퀴퀘그는 만족스러운 목소리로 중얼거리더니 다시 해먹에 뉘어 달라고 했다. 그런데 죽음을 맞을 준비를 모두 끝낸 퀴퀘그의 병세가 갑자기 좋아지기 시작했다.

"죽음의 문턱에서 말이야, 갑자기 아직 해야 할 일이 많다는 걸 깨달았어. 나는 살아서 고향으로 돌아가야 해. 열병 따위에 걸려 죽을 수는 없지."

그러더니 퀴퀘그는 이내 기운을 회복했다. 며칠 동안 아무것도 하지 않고 햇살 아래 앉아 끊임없이 먹어 댔다. 며칠 뒤에는 뱃전에 매달려 있는 보트에 뛰어들어 작살을 겨누고 언제라도 고래와 싸울 준비가 되어 있다고 했다.

피쿼드 호는 드디어 남태평양으로 들어섰다. 이 근처의 날씨가 항상 그렇듯이 상쾌한 여름이었다. 괴물 고래와의 한판 사투를 준비하면서 가장 바쁜 사람은 대장장이였다. 그가 만들고 있는 것 중 가장 눈에 띄는 건 에이해브 선장이 주문한 날카로운 작살이었다. 선장은 새로 만든 작살이 마음에 들었는지 흐뭇한 표정을 지었다.

에이해브 선장은 새 작살로 몇 마리의 고래를 잡았다.

하지만 그는 매일 밤 깊은 잠을 이루지 못했다.

"꿈에서 또 관을 보았네."

"선장님은 죽는다 해도 관도, 영구차도 없을 겁니다."

페들러가 말했다.

"바다에서 죽을 테니 당연히 그렇겠지."

"선장님은 이 항해를 끝마치기 전에 죽습니다. 그런데 죽기 전에 두 개의 관을 보시게 될 겁니다. 하나는 사람의 손으로 만든 것이 아닙니다. 다른 하나는 아메리카에서 베어 온 나무로 만든 것이지요."

페들러가 예언자처럼 말했다.

"그럼, 자네는 어떻게 되지?"

"저는 마지막 순간까지 선장님의 뱃길 안내자이니 나리의 앞에 서게 되겠지요."

"그래? 나보다 먼저 죽는다는 거로군. 하지만 잘 들어 두게. 나는 모비 딕을 반드시 죽일 걸세. 그러고도 살아남을 걸세."

"하지만 밧줄을 조심하셔야 합니다."

하나의 관은
나무로 만든 관이고,
다른 하나는 사람의 손으로
만든 관이 아니라고?
그렇다면 혹시…….

"내가 교수형을 당한단 말인가? 나는 불사신이야! 절대로 죽지 않아!"

에이해브 선장은 큰 소리로 울부짖었다.

다음날, 피쿼드 호는 적도 근처를 항해했다. 선원들은 선장이 돛대에 박아 놓은 금화에 눈길을 쏟으며 에이해브 선장의 명령을 기다렸다. 에이해브 선장은 흔들리는 배에 몸을 맡긴 채 태양을 바라보며 중얼거렸다.

"나는 어디로 가는 것인가? 모비 딕은 어디에 있는가? 내게 암시를 줄 수는 없는가, 태양이여. 너는 지금 이 순간에도 모비 딕을 보고 있을 것 아닌가?"

해질 무렵 태풍이 몰려와 피쿼드 호는 비바람과 맞서 싸워야 했다. 캄캄한 밤이 되자 하늘과 바다에 천둥소리가 요란하게 울려 퍼졌다. 번개가 어지럽게 번쩍이고 폭풍에 찢긴 돛은 넝마 조각처럼 펄럭였다. 스타벅은 번개가 번쩍일 때마다 배에 피해가 없는지 살펴보느라 분주했다.

거대한 파도가 비틀거리는 배의 위쪽을 강타해 뱃전에

매달아 놓은 보트 바닥에 구멍이 뚫렸다. 파도가 물러간 뒤에 보니 보트는 체로 거르는 것처럼 물이 새고 있었다.

"엉망이오! 모든 게 엉망진창이 되어 버렸소!"

스터브가 무참하게 부서진 보트를 보면서 스타벅에게 외쳤다.

'지금이라도 뱃머리를 돌리기만 하면 태풍의 거센 바람이 순풍이 되어 희망봉을 돌아 내터킷 섬으로 돌아갈 수 있다! 모비 딕을 쫓아 역풍逆風을 무릅쓰고 배를 몰다니, 피쿼드 호 앞에는 파멸만이 기다리고 있을 뿐이다!'

스타벅은 피쿼드 호를 집어삼킬 듯 날뛰는 파도를 바라보며 마음속으로 중얼거렸다.

요란한 천둥소리에 이어 번갯불이 번쩍 하며 온 바다를 훤히 비췄다. 스타벅은 배가 번개에 맞지 않으려면 피뢰침을 바다로 던져 버려야 한다는 것이 떠올랐다.

"피뢰 장치! 피뢰 장치를 바다로 던져라!"

역풍(逆風) : 배가 가는 반대쪽으로 부는 바람.

그러자 에이해브 선장이 외쳤다.

"그냥 둬라! 번개를 두려워하지 마라!"

"돛에 번개가 내리쳤단 말이오! 피뢰침을 바다에 내던지지 않으면 번개가 배를 때릴 거란 말이오!"

스타벅이 가리키는 돛에 불이 붙어 활활 타고 있었다.

"모두들 잘 들어라! 저 불꽃이 우리를 모비 딕에게로 인도할 거다. 인도할 거라니까!"

그 순간 번개가 번쩍 하더니 보트에 걸어 놓은 에이해브 선장의 작살 끝에서 불꽃이 두 갈래로 뻗어 나왔다. 이 광경을 본 선원들은 공포에 떨며 함성을 질렀다.

"선장님, 하늘이 노한 거요! 이 불길한 항해를 접고 그만 낸터킷으로 돌아갑시다!"

스타벅의 외침에 마음이 움직인 선원들은 돛대로 달려갔다. 선장은 선원들을 향해 불이 붙은 작살을 휘두르며 명령에 따르지 않으면 모두 죽여 버리겠다고 소리쳤다. 선원들은 겁에 질려 뿔뿔이 달아났다.

"모비 딕을 잡겠다던 맹세는 다 어디로 갔느냐! 이 정

불이다!
불이 났다!
저 불꽃이 우리를
모비 딕에게 인도할 거다!
두려움에 떨지 마라!
선장!
모두 저 불에 태워
죽일 셈이오?

도 폭풍으로 두려움에 덜덜 떨다니, 한심한 놈들!"

피쿼드 호의 선원들은 왜 에이해브 선장의 잘못을 아무도 지적하지 않는 거지?

에이해브 선장은 천둥 같은 목소리로 외쳤다.

새벽이 되면서 폭풍은 잦아들었다. 스타벅과 스터브는 부러진 돛대를 다시 일으켜 세우고 불에 탄 돛을 바꾸어 달았다. 이제 피쿼드 호는 원래의 항로를 되찾아 물살을 가르며 나갔다. 게다가 역풍은 순풍으로 바뀌었다.

스타벅은 이 상황을 보고하기 위해 선장실로 갔다. 선장은 깊은 잠에 빠져 있었다. 그때 벽에 세워진 채 번쩍번쩍 빛나고 있는 선장의 총이 스타벅의 눈에 들어왔다.

'언젠가 나를 쏘려고 했던 총이다. 나는 순풍이 분다는 것을 보고하러 왔다. 그러나 죽음과 지옥으로 인도하는 순풍이다. 이 미친 늙은이가 피쿼드 호의 선원들을 지옥의 길동무로 삼으려는데 얌전히 따라야만 하는가? 서른다섯 명의 생명이 내 손에 달려 있다. 저 미치광이 늙은이

만 죽이면 우린 모두 살 수 있다!'

스타벅은 천천히 총을 들었다. 방아쇠만 당기면 선장을 죽일 수 있었다. 그러나 스타벅은 정직正直하고 양심적인 사람이었다.

"뒤쪽으로! 오오, 모비 딕! 드디어 네놈을 잡았다!"

에이해브 선장이 몸을 뒤척이며 잠꼬대를 했다.

꿈속에서도 모비 딕과 사투를 벌이는 에이해브 선장의 아이처럼 티 없이 맑고 순진한 얼굴을 본 스타벅은 들고 있던 총을 슬그머니 내려놓았다.

'저 얼굴은 마치 천사 같지 않은가?'

스타벅은 도망치듯 선장실을 빠져나왔다.

다음날 아침 일찍 갑판으로 올라온 에이해브 선장은 홀로 떨어져 오래도록 침묵을 지키고 있었다. 그러다 태양이 완전히 모습을 드러내자 미친 사람처럼 외쳤다.

"하하하, 나의 배여! 마치 바다 위를 달리는 태양의 전

정직(正直) : 마음에 거짓이나 꾸밈이 없이 바르고 곧음.

차 같구나! 자, 파도를 두려워하지 말고 달리자!"

그러다 무언가 마음에 걸린 듯 키잡이에게 다가가 배의 방향을 물었다.

"동남동 쪽으로 가고 있습니다, 선장님."

"거짓말 말아! 배가 동쪽을 향하고 있는데 어째서 태양이 뒤꽁무니에서 따라오냔 말이야!"

에이해브 선장의 외침에 선원들 모두 깜짝 놀랐다. 너무나 당연한 사실을 아무도 눈치채지 못하고 있었다는 사실에 더 놀랐다. 나침반羅針盤에 코를 박고 들여다보던 선장은 나침반의 바늘이 정확하게 반대 방향을 가리키고 있다는 사실을 알아냈다. 어젯밤 폭풍우에 충격을 받아 나침반의 바늘이 거꾸로 돌았던 것이다.

"번개 때문에 종종 나침반이 고장나기도 한다."

"그래도 실제로 경험하기는 처음입니다, 선장님."

스타벅이 옆에서 중얼거렸다.

나침반(羅針盤) : 자침이 남북을 가리키는 특성을 이용해 만든 방향 지시 계기.

에이해브 선장은 나침반의 바늘을 뽑아 낸 뒤 돛을 꿰맬 때 쓰는 바늘을 수평이 되도록 나침반의 한가운데 매달았다. 잠시 바늘이 흔들리더니 정확한 방향을 가리키며 멈춰 섰다. 그 모습을 지켜보고 있던 선원들은 에이해브 선장을 감탄하는 눈빛으로 우러러보았다. 그러나 스타벅의 얼굴에는 먹구름이 드리워졌다.

'이제 새로 고친 나침반이 가리키는 방향대로 피쿼드 호는 적도를 향해, 아니 모비 딕을 향해 항해를 계속하겠구나.'

어느 날 새벽이었다. 망을 보던 선원이 갑자기 바다로 추락하는 사고가 일어났다. 그를 구하기 위해 구명 튜브를 던졌지만 선원은 이를 붙들지 못해 바다에 빠져 죽고 말았다. 그런데 웬일인지 구명 튜브도 가라앉아 다시는 떠오르지 않았다. 선원들은 왠지 모를 불길함에 몸을 떨었다.

가라앉은
구명 튜브가 다시 떠오르지
않은 이유는 뭘까?

선원들은 가라앉은 구명 튜브를 대신할 만한

것을 찾아 배를 뒤졌다. 그러나 마땅한 것을 찾을 수 없자 퀴퀘그가 자신의 관은 어떻겠느냐고 했다.

"관? 그거 괜찮은 생각인데!"

선원들은 구명 튜브를 대신할 관에 구멍을 뚫어 피쿼드 호에 달아 놓았다.

에이해브 선장의 눈빛은 점점 더 무서워져 가고 있었다. 거친 바다에서 고래와 맞서 싸우던 선원들도 에이해브 선장의 눈빛을 마주할 수 없을 정도였다.

맹렬한 속도로 달리는 피쿼드 호 앞에서 '환희 호'가 달리고 있었다. 에이해브 선장은 환희 호 가까이 다가가 물었다.

"여보시오, 혹시 흰 고래를 보았소?"

"저걸 보시오."

환희 호 선장이 가리킨 것은 엉망으로 부서진 고래잡이 보트였다.

"잡았소?"

에이해브가 물었다.

이 보트를
보고도 모비 딕을
찾소?
흰 고래
말만 들어도
무섭다고요!
흰 고래
모비 딕을
보지 못했소?
모비 딕에게
당했군.

"어제까지만 해도 살아서 펄펄 뛰던 다섯 명의 힘센 선원들이 밤이 되기도 전에 다 죽어 버렸소. 그놈을 잡는 것은 불가능하오."

환희 호 선장의 말에 피쿼드 호 선원들은 두려움을 감추지 못했다.

며칠 뒤 하늘과 바다가 모두 푸른빛으로 물든 맑게 갠 날이었다. 에이해브 선장은 뱃전에 기대 서서 물속을 들여다보며 생각에 잠겨 있었다. 스타벅이 다가가자 에이해브 선장이 돌아보았다.

"스타벅, 날씨가 정말 좋지? 내가 처음 고래를 잡던 날도 이렇게 아름다운 날이었어. 나는 그때 열여덟 살의 소년 작살잡이였지. 벌써 40년 전의 일이야. 40년 동안 나는 고래만 쫓았다네. 그 40년 중 육지에는 3년도 채 있지 않았어. 참으로 어리석기 짝이 없는 40년이었지. 나는 이제 늙어 빠진 바보가 되고 말았다네."

선장의 눈가가 촉촉이 젖어 왔다.

"스타벅, 가까이 오게. 나에게 사람다운 눈이 어떤 것인지 좀 보여 주게. 나는 그대의 눈동자 속에서 사랑하는 내 아내와 자식을 보고 싶어. 아아! 자네는 두 눈에 고향을 가득 담고 있군. 그런 자네를 그 괴물을 잡으라고 보트에 밀어 넣을 수는 없지. 모두 모비 딕을 뒤쫓더라도 자네는 피쿼드 호에 남아 목숨을 지키게. 가족의 품으로 돌아가야 하지 않겠는가."

"에이해브 선장님, 무엇 때문에 저주 받은 고래 따위를 쫓아야 합니까? 나와 함께 갑시다! 가족들이 기다리는 고향으로 말입니다. 이 지옥의 바다에서 벗어나 집으로 돌아갑시다!"

"그건 안 될 말이야, 스타벅. 잔인한 운명은 나에게 가족과 사랑과 정은 잊어버리라고 말하고 있어. 나는 죽어서도 그 괴물을 잡아야만 해!"

에이해브 선장!
"운명이 레몬을 주었거든
그것으로 레몬 주스를 만들려고
노력하라." 카네기가 한
이 명언을 잊지 말라고요.

절망한 스타벅은 시체처럼 창백해진 얼굴로 슬그머니 그 자리를 떠났다.

8장

에이해브 선장의 비극적인 최후

그날 밤 자정 무렵이었다. 갑판을 서성이던 에이해브 선장은 뱃머리에 서서 얼굴을 바다 쪽으로 쑥 내밀고 코를 벌름거렸다.

"고래다! 고래가 멀지 않은 곳에 있다!"

얼마 지나지 않아 살아 있는 향유고래가 발산發散하는 특이한 냄새가 망을 보는 선원들의 코에까지 풍겨 왔다.

에이해브 선장은 나침반과 풍향계로 정확하게 냄새가 풍기는 방향을 확인하고는 배의 진로를 돌릴 것을 명령했

발산(發散) : 냄새, 빛, 열 따위가 사방으로 퍼져 나감.

다. 새벽녘이 되자 에이해브 선장이 소리쳤다.

"고래가 보이나?"

"아무것도 보이지 않습니다!"

망을 보던 선원이 큰 소리로 대답했다.

에이해브 선장은 직접 밧줄을 타고 돛대 꼭대기로 향했다. 반쯤 올라가던 선장이 미친 듯이 외쳤다.

"물을 뿜는다! 혹이 보인다! 모비 딕이 나타났다!"

"모비 딕이다!"

선원들도 선장과 거의 동시에 모비 딕을 발견했다.

"너희들보다 내가 먼저 봤다!"

에이해브 선장은 선원들을 바라보며 말했다.

"내가 먼저 봤으니 금화는 내 것이다. 이것은 내 것이 될 운명이었어. 나말고는 아무도 모비 딕을 발견하지 못한 거야. 보라고, 뿜는다! 물을 뿜는단 말이다!"

에이해브 선장은 미친 사람처럼 외쳐 댔다.

"모비 딕이 물속으로 가라앉는다! 어서 빨리 보트를 내려라! 스타벅, 자네는 갑판에 남아서 배를 지키게. 오, 저

놈의 꼬리가 나왔다. 스타벅, 보트를 빨리 내려 주게."

"선장님, 모비 딕이 바람이 부는 쪽으로 똑바로 헤엄쳐 가고 있습니다."

스터브가 소리쳤다.

"알았다. 바람이 부는 쪽으로 뱃머리를 돌려라! 보트를 빨리 안 내리고 뭐하는 거야!"

스타벅의 보트를 제외한 세 척의 보트가 바다로 내려졌다. 힘차게 노를 젓자 보트는 쏜살같이 바람이 부는 쪽으로 나아갔다. 에이해브 선장의 보트가 선두에 섰다. 보트들은 파도를 가르며 달렸지만 모비 딕에게 접근하는 데는 상당한 시간이 걸렸다. 한참을 노를 저어 가니 모비 딕의 빛나는 몸통이 마치 대리석으로 만든 섬처럼 보였다.

모비 딕의 옆구리에는 작살이 우뚝 박혀 있었다. 하늘을 날던 바닷새 한 마리가 소리도 없이 작살 끝에 내려앉아 꼬리를 깃발처럼 바람에 날리고 있었다.

잠시 뒤 모비 딕은 꼬리를 위협적으로 흔들며 공중으로 솟아올랐다가 물속으로 사라져 버렸다.

내가 작살을
날리면 새가
놀랄 텐데…….
내가 악마의
화신에게 던진 작살이
새들의 놀이터가 되어
주기도 하는군.
참으로 평화로워
보이는 광경인걸.
괴물 고래
모비 딕도 친구가
있었어.

보트에 탄 선장과 선원들은 노를 멈추고 조용히 물 위에 떠서 모비 딕이 다시 나타나기만을 기다렸다. 보트의 고물에 버티고 선 에이해브 선장은 저 멀리 바람이 불어가는 쪽의 광대廣大한 바다에 시선을 던졌다.

"새들이다, 새가 날아온다!"

태시테고가 소리쳤다.

에이해브 선장의 보트를 향해 날아든 새들은 괴상한 소리를 내지르며 빙글빙글 돌기 시작했다.

"새들이 뭔가를 발견했군. 심상치 않은걸."

에이해브 선장은 중얼거리며 바닷속을 내려다보았다. 바다 깊은 곳에서 족제비만 한 하얀 점이 무서운 속도로 보트를 향해 솟아오르고 있었다. 그것은 점점 커졌다. 모비 딕이었다.

에이해브 선장은 작살을 힘껏 쥐며 외쳤다.

"그래, 네놈이구나! 어디 와 봐라!"

광대(廣大) : 크고 넓음.

모비 딕은 보트를 한입에 집어삼킬 듯 입을 쩍 벌리고 있었다. 에이해브 선장이 탄 보트는 모비 딕의 주위를 빙글빙글 돌았다. 보트가 뱃머리를 축으로 한 바퀴 돌았을 때 물 밑에 있던 모비 딕의 머리와 딱 마주쳤다. 모비 딕은 순식간에 보트 앞쪽을 물고 잔인하게 흔들어 댔다.

다른 보트에 타고 있던 선원들은 겁을 먹은 채 지켜볼 뿐 누구 하나 용감하게 나서지 않았다. 원수를 눈앞에 두고도 어쩌지 못해 광분한 에이해브 선장만이 모비 딕의 입에서 보트를 떼어 내려고 미친 듯이 날뛰고 있었다.

그러나 모비 딕은 보트를 두 동강 내 버렸다. 에이해브 선장의 몸은 바다로 튕겨 나가고 말았다. 모비 딕은 꼬리로 소용돌이를 만들기 시작했다. 선장은 소용돌이 속에서 헤엄도 치지 못하고 허우적댔다.

다른 선원들은 자신의 몸을 지탱해 줄 노라도 잡으려고

모비 딕,
이놈! 오늘은
결판을 내자!
안 돼!
그 놈은 내가
잡을 거야!
먼저 잡는
사람이
임자라고!

에이해브 선장!
조심해요!

에이해브 선장,
선원들의 안전도
생각해야죠!

몸부림치느라 선장을 도울 수가 없었다.

선장은 고래뼈 다리 때문에 더더욱 헤엄을 칠 수가 없었다. 모비 딕은 물에 빠진 선원들 주위를 빙글빙글 돌았다. 원을 그리며 어지럽게 도는 고래의 모습은 소름이 돋을 정도로 공포스러웠다.

스타벅은 피쿼드 호를 몰아 선장 가까이로 다가왔다. 에이해브 선장은 스타벅에게 고래를 잡으라고 소리쳤지만 곧 물살에 휘말려 말을 잇지 못했다. 간신히 몸을 추스른 선장은 다시 한 번 스타벅에게 고래를 쫓으라고 명령했다. 그러나 고래는 이미 사라지고 없었다.

간신히 배에 올라탄 에이해브 선장은 정신을 잃고 쓰러졌다 이내 정신을 차리고는 물었다.

"행방불명된 선원은 없는가?"

"모두 무사합니다."

"좋아! 그놈을 반드시 잡아야 한다."

에이해브 선장은 벌떡 일어나 바다를 바라보았다.

"저기 놈이 보인다! 지금 그놈은 바람이 부는 쪽으로 달리고 있다. 빨리 돛을 올려라!"

에이해브 선장은 미친 사람처럼 소리를 질렀다.

피쿼드 호는 바람이 부는 방향으로 모비 딕을 쫓았다. 돛대 꼭대기에서 망을 보던 선원이 모비 딕이 물속으로 가라앉았다고 보고했다.

해는 서서히 서쪽 바다로 지고 있었다. 에이해브 선장은 초조하게 갑판 위를 왔다 갔다 했다.

"선장님, 조짐이 좋지 않은데요."

에이해브 선장 옆으로 다가온 스타벅이 말했다.

"뭐라고? 뭐가 좋지 않다는 거야? 내게 할 말이 그것밖에 없나? 저리 가!"

에이해브 선장은 소리를 버럭 질렀다.

선장의 기세에 눌린 선원들은 묵묵히 자기 자리를 지키며 일을 했다. 에이해브 선장은 모자를 푹 눌러 쓴 채 밤새도록 갑판을 서성거렸다.

"고래가 물을 뿜는다! 바로 앞쪽이다!"

새벽녘이 되자 돛대 위에서 망을 보던 선원이 외쳤다.

"괴물 고래야, 미친 귀신이 너를 노리고 있다. 에이해브 선장이 너를 잡아 저승으로 보낼 테니 기다려라!"

스터브가 소리쳤다.

모비 딕이 그리 멀리 떨어지지 않은 곳에서 모습을 드러냈을 때 선원들은 일제히 환호성을 질렀다. 이제 서른 명이 넘는 선원 모두가 선장과 한마음이 되어 무슨 일이 있어도 모비 딕을 잡아야겠다고 생각하는 듯했다.

"보트를 내려라. 스타벅, 자네는 피쿼드 호를 맡게. 보트에서 너무 멀리 떨어지지 않도록 하고."

세 척의 보트가 다시 내려졌다. 이미 공격 태세態勢를 갖춘 모비 딕은 몸을 돌려 보트를 향해 달려오고 있었다. 모비 딕은 턱을 쩍 벌린 채 무시무시한 속도로 헤엄쳐 와서 보트를 물어뜯을 듯 달려들었다. 보트에 탄 선원들은

태세(態勢) : 어떤 일이나 상황을 앞둔 태도나 자세.

재빨리 작살을 던졌다.

모비 딕은 화살처럼 날아오는 작살에도 아랑곳하지 않고 높이 쳐든 꼬리를 휘둘러 댔다. 그 바람에 작살에 달린 밧줄이 서로 얽히면서 보트는 모비 딕이 움직이는 대로 끌려다녔다. 잠시 뒤 스터브의 보트와 플래스크의 보트가 서로 부딪치면서 산산조각이 났다. 산산조각 난 보트에서 튕겨져 나온 선원들은 살려 달라고 아우성을 쳤다. 이 난장판을 뒤로하고 모비 딕은 유유히 물속으로 사라졌다.

난파를 간신히 면한 에이해브 선장이 탄 보트가 숨을 돌릴 사이도 없이 모비 딕은 무서운 속도로 솟아오르더니 보트를 공중으로 쳐 올렸다. 보트는 뒤집어지고 말았다. 이 광경을 본 스타벅이 급히 보트 근처로 달려와 물에 빠진 사람들을 구했다. 뒤집힌 보트에 매달려 있던 에이해브 선장도 구조됐다.

"선장님, 다리가……."

에이해브 선장의 고래뼈 다리가 사라지고 없었다.

"나도 알고 있어. 뼈 하나쯤 없어져도 상관없다. 그런데 페들러가 보이지 않는군."

배 안을 샅샅이 뒤진 선원들이 페들러의 모습은 보이지 않는다고 했다. 에이해브 선장은 목수에게 다리를 하나 만들어 놓으라고 이르고는 선장실로 들어갔다.

다음날 아침이 밝았다. 날씨는 맑게 개어 상쾌했다. 아침부터 홀로 망을 보던 선원은 대낮이 되자 오후 당번과 교대를 했다.

"무엇이 보이나?"

에이해브 선장은 망을 보는 선원을 향해 외쳤다. 에이해브 선장은 고래뼈 다리 대신 나무 다리를 달고 있었다. 어젯밤 목수가 부서진 보트로 만든 것이었다.

"아무것도 보이지 않습니다."

"아무것도 안 보인다고? 벌써 정오가 지났는데! 우리가 그놈을 앞질렀군. 내가 놈을 추적하는 게 아니라 놈이 나를 추적하는 꼴이 돼 버렸어. 빨리 뱃머리를 돌려라!"

한 시간이나 되돌아가서야 모비 딕의 모습이 나타났다. 모비 딕은 저 멀리 배 앞에서 물기둥을 내뿜고 있었다.

에이해브 선장이 긴장한 목소리로 외쳤다.

"드디어 모비 딕과의 세 번째 대결이다. 돛을 모조리 달고 바람이 불어오는 쪽으로 향하라! 그리고 빨리 보트를 내려라!"

보트에 타려던 에이해브 선장은 잠시 망설이더니 스타벅을 향해 돌아섰다.

"스타벅, 내 영혼의 배가 세 번째 항해에 나가네. 스타벅, 나는 나이를 너무 많이 먹었어. 행운을 빌어 주게."

에이해브 선장은 스타벅에게 손을 내밀어 악수를 청했다.

"지금이라도 멈추십시오! 가족이 기다리는 낸터킷으로 돌아갑시다."

스타벅이 간절히 설득했지만 에이해브 선장은 고개를 가로저었다.

"보트를 내려라, 어서!"

보트가 내려지고 선원들은 서둘러 모비 딕을 향해 노를 저었다. 잠시 뒤 보트 주위의 바

에이해브 선장,
아직 늦지 않았어요.
지금이라도 마음을
바꾸라고요!

닷물이 불쑥 솟아오르면서 모비 딕의 거대한 몸체가 나타났다. 모비 딕의 몸통에는 작살과 창이 수없이 꽂혀 있었다. 그중 한 작살 밧줄에 페들러의 시체가 매달려 있었다.

모비 딕은 사정없이 보트로 달려들어 박살을 냈다. 에이해브 선장의 보트를 제외한 두 척의 보트는 더 이상 항해를 할 수가 없게 망가져 버렸다.

"너희는 피쿼드 호로 돌아가! 이제 나와 저놈만 이 바다에 남는다!"

스타벅이 외쳤다.

"선장님, 당신도 돌아와요! 이제 그만둡시다!"

"스타벅, 어서 선원들을 구하고 나를 따라오너라! 거리를 잘 유지하고! 알았나?"

에이해브 선장의 보트는 고래를 향해 돌진했다. 지쳤는지 모비 딕이 천천히 움직였다. 에이해브 선장의 보트가 재빨리 모비 딕에게 다가갔다. 모비 딕과 보트가 나란히 달리기 시작한 순간 에이해브 선장은 높이 쳐들었던 작살을 내리치며 모비 딕의 몸속에 깊숙이 박아 넣었다.

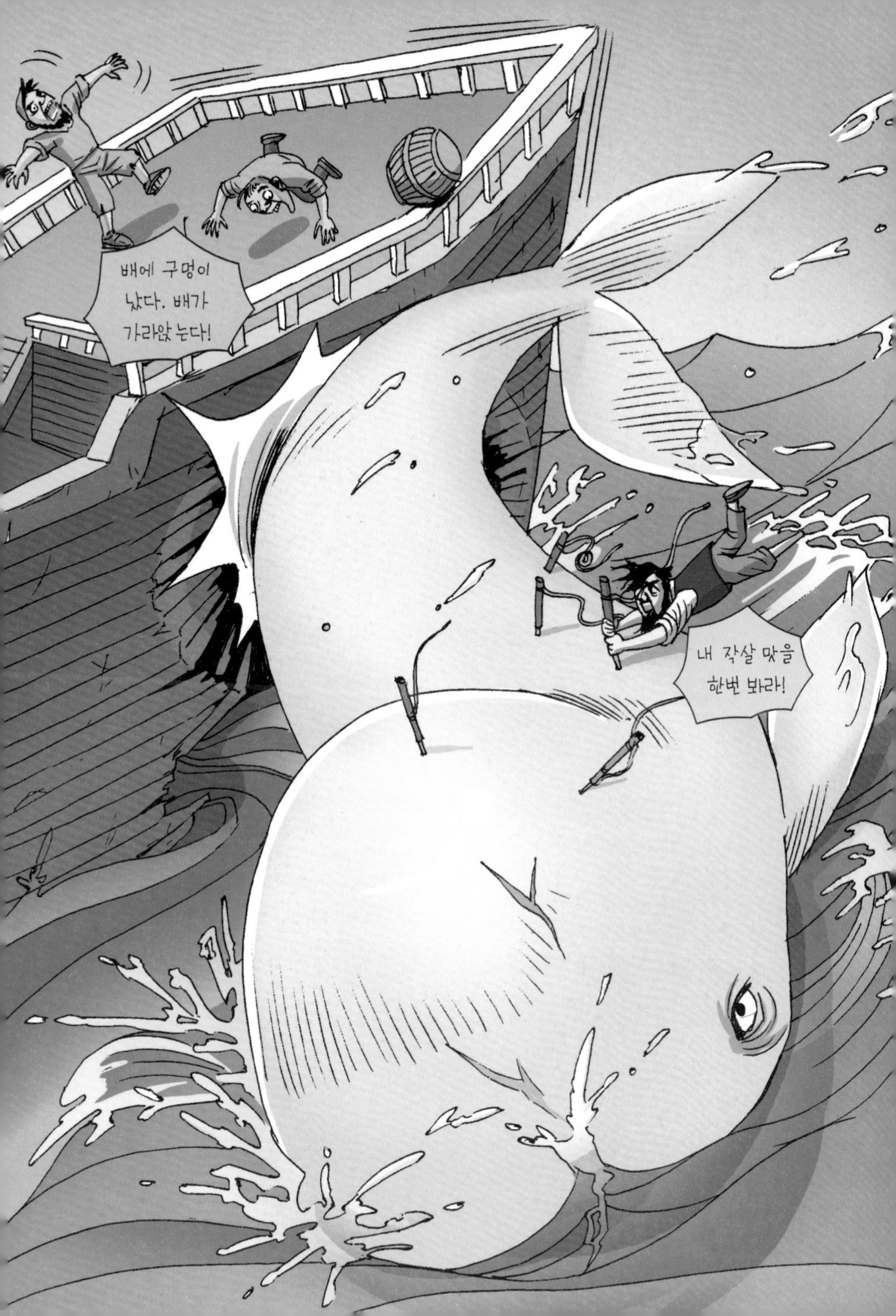
배에 구멍이 났다. 배가 가라앉는다!
내 작살 맛을 한번 봐라!

모비 딕은 괴로운 듯 몸을 뒤틀며 선장의 보트를 들이받았다. 그 바람에 세 명의 노잡이가 바다에 내동댕이쳐졌다. 모비 딕은 물속에서 몸을 한 번 회전해 자세를 고치고는 흰 이마를 물 위로 쑥 내밀었다. 눈앞의 피쿼드 호를 발견한 모비 딕은 배의 옆구리를 들이받았다. 큰 구멍이 뚫린 배 안은 순식간에 물바다가 되고 말았다. 피쿼드 호는 서서히 가라앉기 시작했다.

"페들러가 말하던 아메리카에서 베어 온 나무로 만든 관이 피쿼드 호였단 말인가? 그렇다면 사람이 만들지 않았다는 관은 페들러를 밧줄에 매달고 있는 네놈이로구나!"

에이해브 선장은 이를 갈며 외쳤다.

"이놈, 이 저주 받을 고래 놈! 내 작살을 받아라! 네놈이 살아 있는 한 나 역시 죽지 않는다!"

에이해브 선장은 계속해서 외쳤다.

"나는 네놈에게 붙들린 채 네놈을 추적해 갈가리 찢어 놓고야 말겠다. 자, 이 작살을 받아라!"

에이해브 선장은 온 힘을 다해 작살을 던졌다. 작살을

맞은 모비 딕은 있는 힘을 다해 달아났다. 작살에 매달린 밧줄이 빠른 속도로 풀려 나가다 엉키고 말았다. 에이해브 선장은 엉킨 밧줄을 풀려고 몸을 굽혔다. 엉킨 밧줄은 곧 풀렸다.

그러나 팽팽했던 밧줄이 풀리면서 춤을 추듯 날아가 에이해브 선장의 목을 휘감았다. 모비 딕은 다시 한 번 몸을 솟구친 뒤 물속으로 들어갔다. 에이해브 선장은 모비 딕과 함께 물속 깊이 사라지고 말았다.

에이해브 선장은 다시는 물 위로 떠오르지 않았다. 영원히 잠들지 못할 그의 가여운 영혼은 바다를 떠도는 신세가 되고 말았다. 페들러의 예언대로 비극悲劇적인 죽음을 맞이한 것이었다.

마지막 날 보트에서 내동댕이쳐진 세 명의 노잡이 중

비극(悲劇) : 인생의 슬프고 애달픈 일을 당하여 불행한 경우를 이르는 말.

한 사내가 바로 나였다. 페들러가 실종된 뒤, 에이해브 선장 보트의 제1노잡이가 그 빈자리를 채우고, 그 대신 내가 제1노잡이가 되었던 것이다.

바다는 피쿼드 호를 완전히 삼켜 버렸다. 망망대해에 보이는 것이라고는 나뿐이었다. 퀴퀘그의 관이 내 옆으로 밀려오지 않았다면 나 역시 피쿼드 호의 선원들과 같은 신세가 됐을 것이다.

나는 퀴퀘그의 관에 의지한 채 하루 밤낮을 바다 위를 떠돌았다. 상어 떼는 입에 자물쇠라도 채운 듯 내게 덤벼들지 않고 옆을 헤엄쳐 다녔다. 사나운 바다 독수리마저 그 부리를 칼집에 집어넣기라도 한 듯 머리 위를 무심히 날고 있었다.

이틀째 되던 날, 파도에 이리저리 떠밀리던 나는 마침 근처를 지나던 고래잡이배에 의해 극적으로 구조됐다.

일라이저의
예언대로 한 사람만
살아남았어! 그 한 사람이
나였단 말인가?

PART 3

PART 3 PART 3
PART 3 PART 3 PART 3
PART 3 PART 3 PART 3 PART 3
PART 3 PART 3 PART 3 PART 3 PART 3
PART 3 PART 3 PART 3 PART 3 PART 3 PART 3
PART 3 PART 3 PART 3 PART 3 PART 3
PART 3 PART 3 PART 3 PART 3
PART 3 PART 3 PART 3
PART 3 PART 3

깊어지는 눈

논술의 기본은
뭐니 뭐니 해도 풍부한 독서!

깊어지는 논술

모비 딕 (Moby Dick)

미국의 소설가 허먼 멜빌이 1851년에 발표한 장편 소설 〈모비 딕〉의 원제목은 '고래'였어요. 작가는 한때 고래잡이배를 탄 경험을 바탕으로 〈모비 딕〉을 썼다고 해요. 〈모비 딕〉은 작은 보트를 타고 거대한 고래와 싸우는 웅장한 광경이 아주 잘 묘사돼 있어요.

피쿼드 호의 선장 에이해브는 거친 파도를 헤치며 악명 높은 흰 고래 모비 딕을 쫓아 오대양을 누비고 다녀요. 모비 딕에게 한쪽 다리를 물어뜯긴 뒤 복수를 위해 추적을 멈추지 않는 에이해브 선장은 한없이 '나약한 인간'을, 모비 딕은 인간이 정복할 수 없는 '자연'을 상징하고 있어요.

▲ 허먼 멜빌은 고래잡이배를 탄 경험을 바탕으로 〈모비 딕〉을 지었어요.

허먼 멜빌 (Herman Melville, 1819~1891)

허먼 멜빌은 1819년 미국 뉴욕의 부유한 가문에서 태어났어요. 아버지의 사업 실패로 집안이 기울자 학교를 그만두고 고래잡이배의 선원이 되기로 결심해요.

마침내 1842년 미국 매사추세츠 주의 뉴베드퍼드에서 고래잡이배 애큐시넷 호를 타고 남태평양으로 출항하지요. 이때의 경험을 바탕으로 멜빌은 바다를 소재로 한 작품을 많이 썼어요.

멜빌은 식인종인 타이피 족과의 경험을 바탕으로 한 소설 〈타이피〉를 발표하며 작가의 길로 들어서요. 1851년에는 고래잡이 선원들에 대한 생생한 묘사가 돋보이는 〈모비 딕〉을 발표했지만 주목을 받지 못했어요.

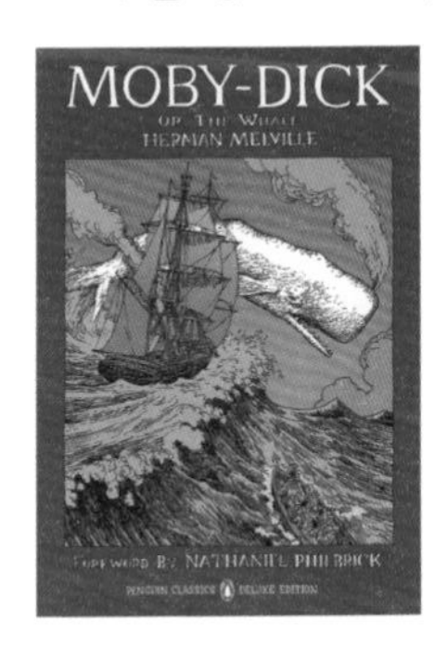

▲ 많은 작가들이 〈모비 딕〉을 최고의 소설로 손꼽아요.

멜빌이 세상을 떠난 뒤 1920년대에 들어서야 제대로 평가를 받았지요. 〈모비 딕〉은 오늘날에는 세계 10대 소설의 하나로 손꼽히고, 멜빌은 19세기 미국 문학을 대표하는 작가로 우뚝 섰어요.

모험과 도전을
두려워하지 마세요!

에이해브 선장과 모비 딕의 대결은 피할 수 없는 운명이었을까요?

여러분, 〈모비 딕〉을 재미있게 읽었나요?

분노와 복수심에 불타 모비 딕을 쫓는 에이해브 선장의 집념과 고래잡이들의 고래 사냥이 흥미진진했지요? 〈모비 딕〉의 줄거리는 아주 간단하다고 볼 수 있어요.

에이해브 선장이 자신의 다리 한쪽을 물어뜯은 향유고래 '모비 딕'을 상대로 펼치는 복수극이에요.

복수심에 사로잡힌 에이해브 선장은 모비 딕과의 대결을 피할 수 없는 '잔인한 운명'이라며 모비 딕을 쫓아 인도양을 거쳐 태평양에 이르기까지 전 세계의 바다를 누벼요. 그러나 에이해브 선장은 모비 딕과의 대결에서 번번이 패배하고 말아요.

이 대결은 단순히 인간과 고래와의 싸움으로 볼 수도 있어요. 하지만 많은 문학 비평가들은 이를 두고 자연을 정복하려는 인간과 인간에게 정복당하지 않는 자연과의 대결로 풀이하고 있어요.

일등 항해사 스타벅은 말을 하지 못하는 동물인 고래를 향한 복수는 무모한 짓이라며 광기에 사로잡힌 에이해브 선장에게 저항해요. 당장 배를 돌려 고향으로 돌아가자며 애원하기도 하지요. 그러나 에이해브 선장은 의지를 꺾지 않아요. 모비 딕을 발견하는 사람에게 금화를 주겠다며 자신의 복수에 선원들까지 끌어들이지요.

스스로 정해 놓은 목표가 없었던 선원들은 에이해브 선장이 제시하는 미래만을 향해 달려가다 결국 모두 파멸을 맞이하고 말아요.

에이해브 선장은 몇 번이나 죽을 고비를 넘기고서도 복수만을 꿈꾸며 자신은 물론 선원들의 안전에는 신경도 쓰지 않았어요. 천둥과 번개가 내리치는 밤, 돛에 번개가 내리쳐 불이 붙었는데도 '저 불꽃이 모비 딕에게 인도해 줄 것'이라며 아랑곳하지 않아요.

자신의 복수를 향한 욕망에 불타 선장으로서의 책임과 의무는 뒤로 한 채 선원들을 위험에 빠뜨리고 결국 죽음으로 몰아넣는 에이해브 선장을 보고 여러분은 어떤 생각이 들었나요?

사흘 간에 걸친 모비 딕과의 싸움에서 에이해브 선장은 모비 딕에게 찔러 넣은 작살의 밧줄이 엉키자 이것을 풀려고 하다 밧줄에 목이 휘감기고 말아요. 결국 모비 딕에게 끌려 깊은 바닷속으로 가라앉지요. 피쿼드 호의 선원들 역시 모비 딕이 들이받아 부서진 배와 함께 모두 바다에 빠져 죽어요

여러분은 자신은 물론 다른 사람들의 목숨까지 빼앗아 간 에이해브 선장의 복수심이 무모한 것이라고 생각하나요? 아니면 불굴의 도전 정신으로 고난과 맞서 싸운 인간의 강한 의지라고 생각하나요?

에이해브 선장의 목숨을 건 싸움은 모비 딕과의 싸움이 아닌 자기 자신과의 싸움이 아니었을까요? 그렇다면 자신이 던진 작살의 밧줄에 목이 휘감겨 바다에 빠져 죽은 에이해브 선장은 자신과의 싸움에서 패배한 것이라고 볼 수 있겠지요.

피쿼드 호의 선원들은 에이해브 선장의 광기에 짓눌려 저항 한 번 하지 못하고 선장의 복수극에 끌려다니다 결국 의미 없는 죽음을 맞이하고 말아요.

여러분도 에이해브 선장을 따라 고래를 잡으러 달려가고 있는 건 아닌지 곰곰이 생각해 보세요.

뒤뚱아, <모비 딕>을
읽고 나니 마치 전 세계의
바다를 탐험하고 돌아온 것
같지 않니?

작가 허먼 멜빌의
풍부한 경험과 상상력 때문에
그런 느낌이 들었을 거야. 훌륭한
작가가 되려면 상상력도
중요하지만 경험도 중요한
것 같아.

PART 4

PART 4 PART 4
PART 4 PART 4 PART 4
PART 4 PART 4 PART 4 PART 4
PART 4 PART 4 PART 4 PART 4 PART 4
PART 4 PART 4 PART 4 PART 4 PART 4 PART 4
PART 4 PART 4 PART 4 PART 4 PART 4
PART 4 PART 4 PART 4 PART 4
PART 4 PART 4 PART 4
PART 4 PART 4

논술 워크북

논리적인 표현으로
자신의 주장을 펼쳐 보렴!

논술 워크북

논술 1단계 | 꼭 알고 넘어가요

1-1 에이해브 선장은 왜 다리가 한쪽밖에 없나요?

1-2 피쿼드 호가 난파되어 모두 죽었는데 '나' 이스마엘은 어떻게 살아남을 수 있었나요?

HINT

본문을 잘 읽고 물음에 답하세요.

2 에이해브 선장이 미친 듯이 모비 딕을 쫓은 까닭은 무엇이라고 생각하나요? 괄호 안에 어떤 말이 들어갈 수 있을지 생각한 뒤 적어 보고, 그 이유도 말해 보세요.

- **에이해브 선장이 모비 딕을 쫓은 까닭은 ( )**

  때문이다.

- **이유**

HINT

각자 이야기를 분석해서 괄호 안에 들어갈 적당한 이유를 찾아보세요.

3 이 작품은 '모비 딕'이라고 하는 거대하고 신비로운 고래를 소재로 한 이야기입니다. 성경을 비롯해 세계 여러 나라의 전설과 신화, 소설과 영화에 이르기까지 고래를 소재로 한 작품이 많이 전해지고 있습니다. 〈모비 딕〉 이외에 또 어떤 고래 이야기가 있는지 찾아보고, 고래가 이야기의 소재로 자주 등장하는 까닭이 무엇인지도 생각해 보세요.

HINT

전설과 신화, 종교적 이야기, 소설과 영화에 이르기까지 '고래'가 등장하는 이야기는 셀 수 없이 많지요.

4 '모비 딕은 선과 악 가운데 악에 속한다.'는 주장에 대해 여러분은 어떻게 생각하나요? 여러분의 생각에 따라 위 주장을 옹호하거나 반대하는 논증을 만들어 보세요.

HINT

논증에서 중요한 것은 설득력 있는 근거를 제시해 주는 것입니다.

5 다음은 〈모비 딕〉에 나타난 상징에 대하여 해설한 글입니다.

〈모비 딕〉은 위대한 자연과 나약한 인간의 투쟁에 대한 이야기입니다. 이 작품에서 바다와 고래, 특히 모비 딕은 '자연의 힘'을 상징합니다.

사람들을 두려움에 떨게 만드는 흉포한 고래 모비 딕은 인간의 힘을 뛰어넘는 압도적인 자연의 힘을 상징하는 존재입니다. 작품 속에서 많은 사람이 모비 딕에게 목숨을 잃거나 불구가 된 것은, 대자연은 인간이 감히 거스르기 어려운 존재라는 것을 보여 줍니다.

광기 어린 집념에 사로잡혀 모비 딕을 좇는 에이해브 선장은 자연을 길들이려는 인간의 노력을 상징합니다. 작품 속에서 모비 딕의 압도적인 힘에 대항하는 에이해브 선장은 자연에 맞서는 인간의 의지를 보여 주고 있는 것이라고 볼 수 있습니다.

〈모비 딕〉에서 모비 딕과 에이해브 선장의 대결은 모비 딕의 승리로 끝이 납니다. 에이해브 선장이 결국 모비 딕에 죽음을 당하게 된 것은, 자연의 힘이 그만큼 크고 위대하다는 것을 보여 줍니다.

그러나 목숨을 던지며 대항했던 에이해브 선장의 행위 또한 의미가 없는 것은 아닙니다. 끝까지 모비 딕의 거대한 몸에 작살을 박아 넣으며 숨져 간 에이해브 선장의 모습은 자연에 대항하여 문명을 이룩해 온 인간의 역사를 극명하게 보여 주고 있는 것입니다.

모비 딕과 에이해브의 대결은 여러 가지 관점에서 해석이 되고 있습니다. 위 글은 그 가운데 하나의 해석을 보여 주는 글입니다. 작품을 해석하는 관점에 따라서 '모비 딕'과 '에이해브 선장'이 상징하는 바와 이 둘의 관계에 대한 해석은 다양하게 나올 수 있습니다.

여러분은 〈모비 딕〉이라는 작품에 나타난 상징적 의미를 어떻게 해석하나요? 위 글처럼 모비 딕과 에이해브 선장, 둘의 관계를 중심으로 각자의 생각을 논술해 보세요.

HINT

제시문에서 모비 딕과 에이해브 선장을 각각 '자연의 힘'과 '인간의 의지'를 나타내는 것으로 본 것처럼, 역사나 종교 등의 다양한 관점을 〈모비 딕〉에 대입해 보세요.

6 다 쓴 글을 친구나 부모님 앞에서 발표해 보세요. 그리고 듣는 사람이 고개를 끄덕이는지 아니면 고개를 갸우뚱하는지 반응도 살펴보세요. 발표가 끝난 후 평가도 부탁해 보세요.

가이드북

GUIDE BOOK

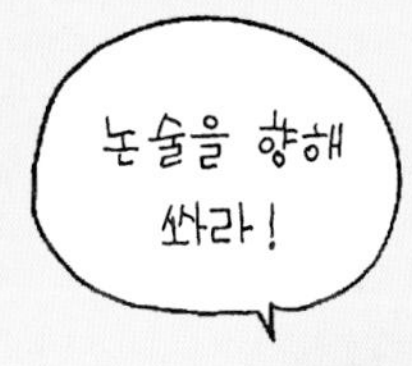

작품의 전체 줄거리

이스마엘은 남태평양에 있는 코코보코 섬의 추장 아들 퀴퀘그와 함께 고래잡이배 피쿼드 호에 승선합니다. 피쿼드 호의 선장 에이해브는 한쪽 다리를 향유고래 모비 딕에게 잃은 뒤 복수심에 불타 모비 딕을 쫓습니다. 모비 딕은 수많은 고래잡이들의 목숨을 앗아 간 악명 높은 고래입니다. 선원들은 모비 딕이란 이름만 들어도 두려움에 떱니다.

그러나 복수심에 눈이 멀어 분별력을 잃은 에이해브 선장은 모비 딕을 광적으로 쫓습니다. 마침내 에이해브 선장은 모비 딕과 최후의 사투를 벌입니다. 에이해브 선장은 모비 딕의 몸에 작살을 꽂아 넣지만 밧줄이 목을 휘감아 모비 딕과 함께 바닷속으로 사라집니다. 피쿼드 호의 선원들 모두 목숨을 잃지만 이스마엘 한 사람만 가까스로 목숨을 구합니다.

〈모비 딕〉의 의미

〈모비 딕〉은 작가 허먼 멜빌이 고래잡이배에서 일한 경험을 바탕으로 한 치밀하고 사실적인 묘사가 돋보이는 작품입니다. 다양한 인간의 삶과 선과 악, 종교(기독교) 등을 아우르는 풍부한 소재로 세월이 흐를수록 새로운 해석을 낳으며 명작으로서 가치를 인정받고 있습니다. 사실 〈모비 딕〉이 처음 발표되었을 때 독자들은 고래잡이를 소재로 한 모험담 정도로 취급해 주목하지 않았습니다.

그러나 작가가 세상을 떠난 뒤 실험적인 형식과 깊이 있는 주제 의식을 인정받아 멜빌은 19세기 미국 문학을 대표하는 작가로 손꼽히고 있습니다. 전 세계의 수많은 위대한 작가들이 자신에게 영향을 미친 책으로 〈모비 딕〉을 꼽았습니다. 〈모비 딕〉은 오늘날에도 문학과 영화 등의 예술 분야는 물론 사회 전반에 폭넓은 영향력을 끼치고 있습니다.

1-1 사고 영역 _ 사실적 이해

본문을 잘 읽었는지 확인하는 문제입니다. 작품을 잘 읽었다면, 바르게 답할 수 있습니다.

에이해브 선장이 다리를 하나 잃게 된 정확한 까닭은 4장에 나옵니다. 4장에서 에이해브 선장은 피쿼드 호 선원들 앞에서 모비 딕이 자신의 다리를 물어뜯어 고래뼈 다리를 달게 되었다고 말하는 장면이 있습니다.

1-2 사고 영역 _ 사실적 이해

본문을 잘 읽었는지 확인하는 문제입니다. 작품을 잘 읽었다면, 바르게 답할 수 있습니다.

이스마엘은 에이해브 선장과 모비 딕이 최후의 대결을 벌일 때 보트에서 내팽개쳐져 바다에 빠집니다. 그때 퀴퀘그가 열병에 걸려 죽어 갈 당시 만들어 둔 나무 관이 떠내려와 그 관에 의지해 목숨을 구할 수 있었습니다.

CHECKPOINT

본문을 잘 읽었는지 확인합니다.

2 사고 영역 _ 비판적 사고

작품 속에 나타난 인물의 행동을 분석해 보면서, 비판적 사고력을 기를 수 있습니다.

에이해브 선장은 향유고래 모비 딕에게 다리 하나를 잃었습니다. 작품 속에서 에이해브 선장은 모비 딕에게 불타는 복수심을 갖고 있는 것으로 묘사되고 있습니다. 따라서 괄호 안에 '복수심'을 써 넣어도 무리는 없을 것입니다.

또 에이해브 선장이 모비 딕을 쫓는 까닭을 '집착'이라고 생각할 수도 있을 것입니다. 선장의 복수심은 시간이 흐를수록 모비 딕에 대한 집착으로 연결되고 있기 때문이지요.

'광기' 때문이라고 생각할 수도 있을 것입니다. 자신의 목숨은 물론이고, 선원들의 안전과 목숨까지 돌보지 않은 선장의 행동은 분명 광기 어린 것이기 때문이지요.

그 밖에 '고래에 대한 매혹', '사람을 해치는 고래를 없애려는 정의감' 등등 다양한 말이 괄호 안에 들어갈 수 있습니다. 어떤 말이 들어가도 틀린 대답이라고 말할 수는 없는 문제입니다. 단 그렇게 생각하는 이유를 작품 속에서 찾아내어 말해 줄 수 있어야 합니다.

CHECKPOINT

작품에 대한 분석을 바탕으로 괄호 안에 들어갈 수 있는 말을 찾아야 합니다.

3 사고 영역 _ 창의적 사고

작품과 관련한 다양한 화제에 대하여 생각하고 알아보면서, 생각의 폭을 넓힐 수 있습니다.

고래에 대한 이야기는 아득히 먼 옛날부터 전해 내려오는 신화에서부터 찾을 수 있습니다. 그리스 로마 신화에서는 고래를 바다의 신 '포세이돈'으로 생각했다는 이야기도 있으며, 구약 성경에도 예언자 '요나'가 고래 뱃속에 갇혔다가 살아 나왔다는 이야기가 나옵니다.

알래스카 전설 가운데 고래와 결혼하는 여인의 이야기도 있으며, 우리나라에도 고래를 용왕의 장군으로 보는 이야기, '고래 싸움에 새우등 터진다.'는 속담 등이 전해집니다.

현대에서도 고래는 〈로빈슨 크루소〉, 〈보물섬〉 등 바다를 배경으로 한 다양한 이야기에 크고 작은 비중으로 등장하고 있으며, 범고래를 주인공으로 한 〈프리윌리〉 같은 영화가 만들어지기도 했습니다.

이렇게 고래가 많은 이야기에 등장하는 까닭은 예로부터 고래가 인간의 상상력을 자극하는 존재였기 때문일 것입니다. 무엇보다 고래의 압도적인 크기와 깊은 바다에 살아서 쉽게 접근하기 힘든 점 등이 두려움과 신비감을 불러일으키며 수많은 이야기를 낳게 된 계기가 되었겠지요.

CHECKPOINT

인터넷을 통해서나 도서관, 서점 등을 이용해 다양한 고래 이야기를 찾아보고, 다른 독서 활동으로 이어질 수 있도록 해 주세요.

4 사고 영역 _ 논리적 사고

주어진 주장을 옹호하거나 반대하는 논증을 만들어 보면서, 주장을 설득력 있게 구성하는 논술의 기초를 배우게 됩니다.

'모비 딕은 선과 악 가운데 악에 속한다.'는 주장을 옹호하는 근거를 작품 속에서 찾아 제시해 줄 수 있습니다. 우선 '모비 딕이 수많은 사람을 불구로 만들었거나 목숨을 빼앗았다.'는 점이 주장을 뒷받침해 줄 수 있는 근거가 될 수 있겠지요. 또 작품 속에서 모비 딕이 교활하고 난폭하며 두려운 존재로 그려지는 점도 주장을 뒷받침하는 근거가 될 수 있습니다.

'모비 딕은 선과 악 가운데 악에 속한다.'는 주장에 반대하려면, 이 주장을 뒷받침할 수 있는 근거가 무엇일지 먼저 찾아본 다음에, 그 근거의 허약함을 지적해 주는 것이 효과적입니다. 예를 들어 '모비 딕이 수많은 사람을 죽이거나 불구로 만들었다.'는 것은 지나치게 인간 중심적인 관점이라는 것을 지적해 주는 것도 반대 주장의 근거가 됩니다.

'모비 딕은 일부러 사람을 공격하거나 죽이려고 한 것이 아니라, 자신을 방어했을 뿐이다. 그러므로 모비 딕이 악에 속하는 것은 아니다.'라고 논증할 수 있을 것입니다. 또한 '작가가 모비 딕을 난폭하고 두려운 존재로 묘사한 것은 악을 나타내려고 한 것이 아니라, 인간의 힘을 초월한 존재에 대해 말하려 했기 때문이다.'라는 것 등도 반대 주장의 근거가 될 수 있습니다.

CHECKPOINT

주장을 뒷받침하는 타당하고 적절한 근거를 제시하는 것이 중요합니다.

5 사고 영역 _ 논리적 사고

제시된 글을 읽고 자신의 생각을 주제와 형식에 맞추어 논술하는 문제입니다.

〈모비 딕〉은 상징성이 강한 작품으로 '모비 딕'과 '에이해브 선장', 또 둘의 관계는 다양한 관점에서 풀이될 수 있습니다. 다만 구체적인 해석에 앞서 먼저 작품의 기본적인 구조를 이해하는 것이 필요합니다. 〈모비 딕〉에서 모비 딕은 '거대한 어떤 존재나 힘, 또는 가치'이며, 에이해브 선장은 '상대적으로 약한 존재이나 강한 의지를 갖고 모비 딕이 상징하는 바를 좇는 존재'로 그려진다는 점은 이해하고 있어야 작품의 큰 틀에서 빗나가지 않을 수 있습니다.

구체적인 해석으로 들어가서 우선 정신적 관점에서 보면 모비 딕은 '영원성'에 대한 상징으로 해석할 수 있습니다. 그렇다면 에이해브 선장은 '한계를 가진 인간'을 상징하고, 둘의 관계는 '영원성에 도전하는 인간의 운명'을 나타낸다고 볼 수 있습니다. 또 모비 딕을 '인간의 운명', 선장을 '운명에 저항하는 인간의 의지'로 볼 수도 있으며, 모비 딕을 '예술적 성취', 선장을 '예술가'로 볼 수도 있습니다. 독창적인 해석도 얼마든지 가능하니 자신의 생각을 논술해 보세요.

CHECKPOINT

합리적이고 조리 있게 자신의 생각을 전개하는 것이 중요합니다. 이때 작품의 기본적인 이야기 구조에 잘 들어맞으면서도 독창적인 시각을 보이면, 더 좋은 평가를 받을 수 있습니다.

다음은 논술 5단계 문제에 대한 예시 글입니다. 지도에 참고하시기 바랍니다.

〈모비 딕〉은 상징적인 작품으로 다양하게 해석될 수 있습니다. 기본적으로 모비 딕을 '거대한 어떤 것', 에이해브 선장은 '거대한 것을 추적하는 인간의 의지'를 상징한다고 본다면 설득력을 얻을 수 있을 것입니다. 그런데 여기에서 조금 더 범위를 좁혀 해석하면, 이 작품을 예술가의 집념에 대한 이야기로 읽는 것도 가능합니다.

모비 딕은 위대한 작품 또는 이상적인 예술 세계를 상징합니다. 거대하고 아름답지만, 악마와 같이 난폭한 모비 딕은 '영혼이라도 팔아서 손에 넣고 싶은' 세계입니다. 이를 쫓는 에이해브 선장은 예술가입니다. 에이해브 선장이 보여 주는 집념과 광기, 독선은 예술가의 아집과 무척 닮은꼴입니다. 다리 한쪽을 잃고서도 모비 딕을 쫓는 에이해브 선장의 모습은 예술을 위해 온몸을 던지는 예술혼으로도 읽힙니다. 격정에 못 이겨 제 귀를 잘라 내고, 이를 자화상으로 남긴 고흐를 연상시킵니다.

이 작품에서 예술가의 운명에 대한 상징을 읽어 낸다면, 비극으로 끝이 난 결말이 주는 여운이 무척 인상적입니다. 에이해브 선장은 마지막 순간까지 모비 딕의 몸통에 작살을 꽂아 넣고는 밧줄에 목이 휘감겨 죽음을 맞았습니다. 자신이 추구하는 예술 세계에 갇혀 자살 등의 파멸을 맞이한 예술가들의 비극적 생애를 떠올리게 합니다.

거대한 고래의 몸통에 매달려 망망대해를 떠돌아다닐 에이해브 선장의 주검이 주는 이미지에는 예술가의 숙명은 허무하고 비극적인 것이라는 암시가 담겨 있습니다.

1 동물농장
2 걸리버 여행기
3 좁은 문
4 돈 키호테
5 죄와 벌
6 정글북
7 지킬 박사와 하이드
8 전쟁과 평화
9 지구에서 달까지
10 허클베리 핀의 모험
11 비밀의 화원
12 이상한 나라의 앨리스
13 아큐정전
14 변신
29 파우스트
30 파랑새
31 톰 아저씨의 오두막
32 폭풍의 언덕
33 작은 아씨들
34 알프스 소녀 하이디
35 크리스마스 캐럴
36 보물섬
37 톰 소여의 모험
38 80일간의 세계일주
39 사람은 무엇으로 사는가
40 안네의 일기
41 어린 왕자
42 꼬마 철학자
56 해저 2만 리
57 별
58 적과 흑
59 압록강은 흐른다
60 시턴 동물기
61 도리언 그레이의 초상
62 난중일기
63 쿠오바디스
64 몬테크리스토 백작
65 빨간 머리 앤
66 15소년 표류기
67 구운몽
68 목로주점
69 부활
다음에 읽을 논술 명작도 해양 소설이야.

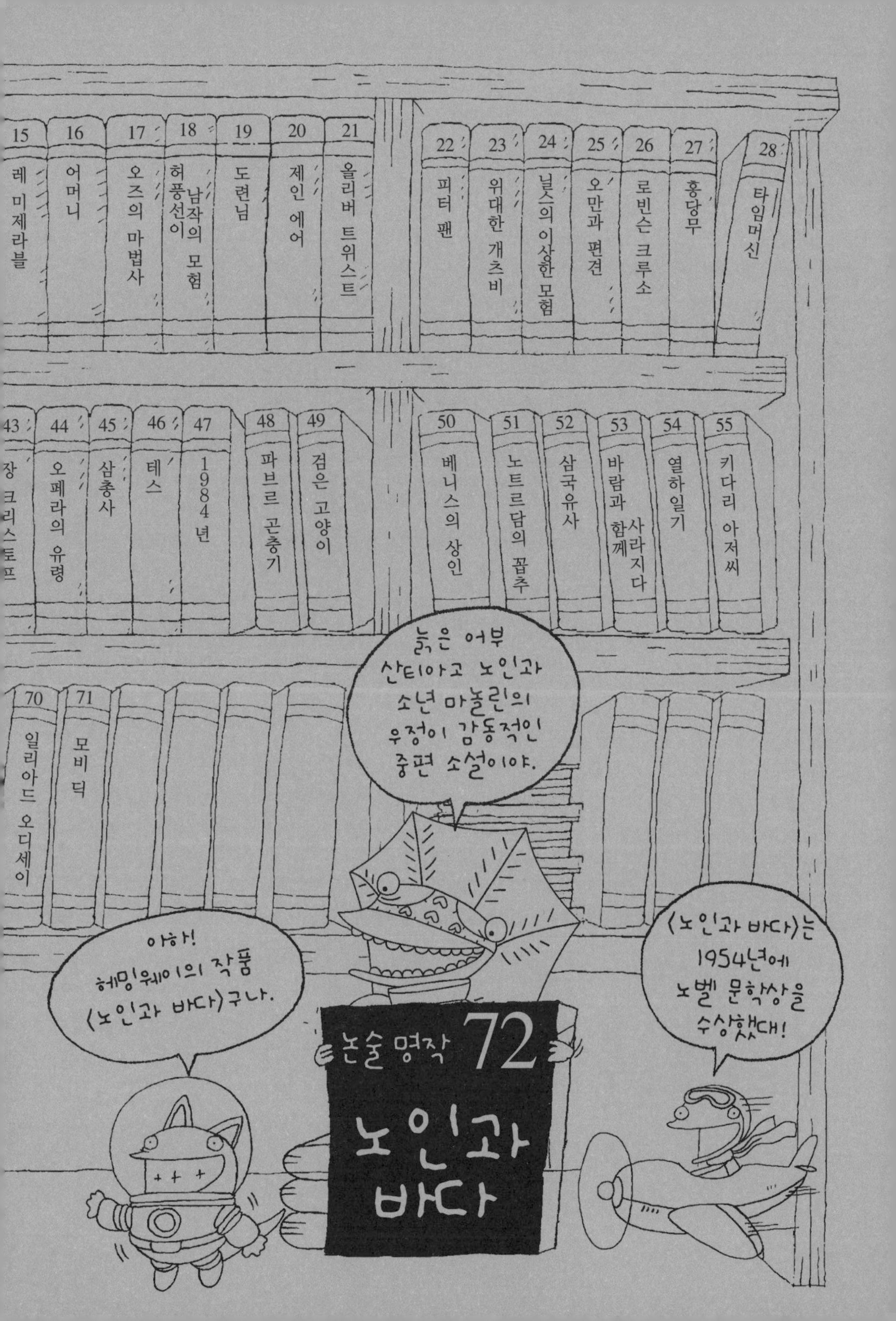
15 레 미제라블
16 어머니
17 오즈의 마법사
18 허풍선이 남작의 모험
19 도련님
20 제인 에어
21 올리버 트위스트
22 피터 팬
23 위대한 개츠비
24 닐스의 이상한 모험
25 오만과 편견
26 로빈슨 크루소
27 홍당무
28 타임머신
43 장 크리스토프
44 오페라의 유령
45 삼총사
46 테스
47 1984년
48 파브르 곤충기
49 검은 고양이
50 베니스의 상인
51 노트르담의 꼽추
52 삼국유사
53 바람과 함께 사라지다
54 열하일기
55 키다리 아저씨
70 일리아드 오디세이
71 모비 딕
늙은 어부 산티아고 노인과 소년 마놀린의 우정이 감동적인 중편 소설이야.
아하! 헤밍웨이의 작품 〈노인과 바다〉구나.
〈노인과 바다〉는 1954년에 노벨 문학상을 수상했대!
논술 명작 72
노인과 바다